Le bénévolat
auprès des malades et des aînés

Données de catalogage avant publication (Canada)

Ledoux, André, 1937-
 Le bénévolat auprès des malades et des aînés : savoir pour mieux aider
 Comprend des réf. bibliogr.
 ISBN 978-2-89074-738-8
 1. Bénévolat. 2. Bénévoles dans les services de santé. 3. Bénévoles en service social. 4. Aidants naturels. 5. Bénévolat – Québec (Province). I. Titre.

HN49.V64L42 2007   361.3'7   C2007-941226-2

Édition
Les Éditions de Mortagne
C.P. 116
Boucherville (Québec) J4B 5E6

Distribution
Tél. : 450 641-2387
Téléc. : 450 655-6092
Courriel : edm@editionsdemortagne.qc.ca

Tous droits réservés
Les Éditions de Mortagne
© Ottawa 2007

Dépôt légal
Bibliothèque nationale du Canada
Bibliothèque nationale du Québec
Bibliothèque Nationale de France
3e trimestre 2007

ISBN : 978-2-89074-738-8

1 2 3 4 5 – 07 – 11 10 09 08 07

Imprimé au Canada

Nous reconnaissons l'aide financière du gouvernement du Canada par l'entremise du Programme d'aide au développement de l'industrie de l'édition (PADIÉ) et celle du gouvernement du Québec par l'entremise de la Société de développement des entreprises culturelles (SODEC) pour nos activités d'édition. Gouvernement du Québec – Programme de crédit d'impôt pour l'édition de livres – Gestion SODEC.

André Ledoux

LE BÉNÉVOLAT
auprès des malades et des aînés

SAVOIR POUR MIEUX AIDER

ÉDITIONS DE MORTAGNE

Le bénévolat est un rayon de soleil qui illumine la vie des pauvres, des déshérités, des malades et des aînés de nos sociétés. Il repose sur des valeurs humanistes indéniables telles que la liberté, le dévouement, la gratuité, le respect, la solidarité et le souci du mieux-être des autres. Pour ses adeptes, il est un gage de meilleure santé et de longévité ; il conduit incontestablement à la joie de vivre et à un bonheur sans partage.

Pour leurs commentaires pertinents sur un ou plusieurs chapitres, sollicités afin de valider en quelque sorte le contenu de l'ouvrage, je tiens à remercier chaleureusement les personnes suivantes :

Johanne Béland, chef du service des bénévoles,
Hôpital Maisonneuve-Rosemont

Solange Bleau, professeure au ministère de l'Immigration du Québec

Yves Contant, bénévole au CSSS de
Bordeaux–Cartierville–Saint-Laurent

Bernard Cyr, chef des ressources bénévoles,
CSSS de Bordeaux–Cartierville–Saint-Laurent

Gervais Darisse, président de la Corporation les Pèlerins,
Résidence Desjardins, Saint-André-de-Kamouraska

Renée de Lorimier, bénévole coordonnatrice aux soins pallia-tifs de l'Institut universitaire de gériatrie de Montréal

Micheline Delsoin, gestionnaire des ressources bénévoles,
Institut universitaire de gériatrie de Montréal

Hélène Desjardins, résidente à la Résidence Desjardins,
Saint-André-de-Kamouraska

Anne Duplessis, infirmière-chef, unité d'hémato-oncologie,
Hôpital du Sacré-Cœur de Montréal

Micheline Lacoste, bénévole, unité de l'hémodialyse,
Hôpital du Sacré-Cœur de Montréal

Monic Landry, responsable des ressources bénévoles,
CSSS de Bordeaux–Cartierville–Saint-Laurent

Jocelyne Lauzon, M.Ps., psychologue consultante à la Maison Victor-Gadbois, membre du conseil d'administration du Réseau des soins palliatifs du Québec, chargée de cours à l'Université de Montréal

Claude Leblanc, bénévole, Hôpital du Sacré-Cœur de Montréal

Hélène Lockwell, chef du service de bénévolat, Hôpital du Sacré-Cœur de Montréal, membre du conseil d'administration de l'Association des gestionnaires de ressources bénévoles du Québec (AGRBQ)

Marie Martin, bénévole à l'unité des soins palliatifs, Hôpital du Sacré-Cœur de Montréal

Suzanne Morin, secrétaire de direction, service de bénévolat, Hôpital du Sacré-Cœur de Montréal

Élisabeth Plante, responsable des ressources bénévoles au centre d'hébergement Notre-Dame-de-la-Merci, présidente du conseil d'administration de l'Association des gestionnaires de ressources bénévoles du Québec (AGRBQ)

Martine Souffrant, infirmière-chef, unité des soins palliatifs, Hôpital du Sacré-Cœur de Montréal

Yolande Tremblay, présidente du comité des bénévoles, CSSS de Bordeaux–Cartierville–Saint-Laurent

Je voudrais également dire ma reconnaissance à la direction du CHSLD Le Royer pour avoir exprimé son point de vue sur le contenu du chapitre 5.

Enfin, la patience, la compétence linguistique et l'affection de ma femme, Rolande Desjardins, ont facilité la rédaction de ce livre, sans oublier la douce présence, toujours appréciée, de Samie, notre chatte tigrée.

André LEDOUX

Table des matières

Préface

Les statistiques démontrent que le bénévolat est en expansion au Québec, au Canada et dans de nombreux pays du monde occidental comme la France et la Belgique. Cependant, il ne progresse pas au même rythme dans les établissements de santé du Québec, même si les besoins s'avèrent criants. Toutefois, cela ne devrait pas influencer notre désir d'engagement social envers les malades et les aînés, si tel est notre choix.

L'ouvrage d'André Ledoux arrive à point nommé, puisqu'il traite du bénévole et de son rôle; véritable guide, le livre aborde avec pertinence le métier utile et honorable d'accompagnant auprès des patients et des personnes âgées. L'auteur nous parle de son expérience de bénévole et de sa propre vision du bénévolat. Il a su laisser la parole à des malades ou à des aînés, qui ont tant à dire alors qu'ils se trouvent dans une situation où l'être humain est souvent fragilisé et fort vulnérable. Par ailleurs, le témoignage de plusieurs bénévoles montre jusqu'à quel point le bénévolat est un cadeau de la vie et qu'il peut apporter beaucoup à ses adeptes.

Dans *Le bénévolat auprès des malades et des aînés*, plusieurs thèmes sont de nature à intéresser le nouveau bénévole ou l'aidant naturel, pour les sensibiliser à l'importance du geste humanitaire, source d'un équilibre personnel grâce au don de soi. Quant au bénévole d'expérience, il y trouvera matière à réflexion, ce qui permettra d'améliorer la qualité de ses interventions. Peu importe l'approche préconisée dans les organismes communautaires et les établissements de santé, ce livre se veut un outil précieux de formation : il touche à toutes les facettes du bénévolat.

Il est intéressant de noter l'importance de la connaissance de soi soulignée dans le deuxième chapitre. Les motivations dans l'action bénévole doivent découler d'une harmonie intérieure, afin que le bénévole se consacre pleinement à sa tâche et en retire la satisfaction du devoir accompli. À cette fin, il est nécessaire que son responsable d'équipe le dirige vers une tâche qui répond à ses habiletés et à ses compétences, sans quoi il risque d'essuyer des frustrations.

J'ai particulièrement apprécié, dans ce livre, les concepts de savoir, de savoir-faire et de savoir-être. En effet, un certain nombre de connaissances de base, telles les techniques de relation d'aide ou la notion d'accompagnement, ne peuvent que bien servir le bénévole. Le savoir-faire nous incite, par exemple, à privilégier la présence à l'autre et l'écoute active, alors que le savoir-être nous indique les bonnes attitudes à afficher dans l'accomplissement de notre tâche... Savoir pour mieux aider !

L'acceptation inconditionnelle d'autrui et l'empathie, dont il est question au troisième chapitre, nous ramènent au principe fondamental du *caring*. Cette philosophie exige de filtrer nos propres valeurs, si nous voulons accueillir l'autre dans toute sa plénitude. Le *caring* est intimement lié au travail du bénévole.

Le bénévolat auprès des malades et des aînés suscitera l'intérêt des personnes qui accompagnent un proche dans la maladie ; il ne laissera pas indifférents les bénévoles désireux de perfectionner leur démarche auprès des autres. Pour le gestionnaire de ressources bénévoles, l'ouvrage constituera un instrument essentiel pour mieux appliquer son processus de gestion. Ce livre s'avérera donc un excellent outil de référence adapté aux besoins de tous ceux qui s'intéressent de près ou de loin au bénévolat.

Bonne lecture !

Hélène LOCKWELL

Chef du service de bénévolat et de pastorale,
Hôpital du Sacré-Cœur de Montréal

Membre du conseil d'administration de l'Association des
gestionnaires de ressources bénévoles du Québec

Avant-propos

Le bénévolat est actuellement en pleine expansion au Québec, en Amérique du Nord et partout en Europe. Il connaîtra un essor remarquable au cours des prochaines années. Deux raisons expliquent le phénomène. Tout d'abord, l'État-providence est à bout de souffle, les budgets de la santé et des services sociaux sont à la hausse et représentent près de 45 % du budget global du Québec, ce qui est considérable. Par ailleurs, le vieillissement de la population incite les gouvernements à se tourner vers les bénévoles. Les aînés ont de plus en plus besoin d'aide pour vaquer à leurs occupations et occuper leurs loisirs, qu'ils soient à domicile, dans les résidences d'habitation ou les CHSLD. Les préposés aux patients et les infirmières ne suffisent plus à la tâche et, forcément, réduisent avec tristesse les services à la clientèle. Puisque la cohorte des aînés s'amplifie, les services vont donc continuer à s'amenuiser. La présence des bénévoles dans les hôpitaux, les maisons de soins palliatifs et les centres d'hébergement pour les aînés viendra combler ces lacunes.

Les bénévoles, hommes, femmes ou jeunes, proviennent de toutes les couches de la société et, malheureusement, leur formation est souvent mince dans le domaine de l'accompagnement des malades, des mourants et des personnes âgées. Bien entendu, les organismes donnent un minimum de formation, mais c'est souvent dérisoire. Les bénévoles sont laissés plus ou moins à eux-mêmes et apprennent sur le tas. Mes années d'expérience dans le domaine – Hôpital du Sacré-Cœur de Montréal, CHSLD de Saint-Laurent et Institut universitaire de gériatrie de Montréal – m'ont donc convaincu de la nécessité de publier un guide pratique sur le bénévolat qui s'adresserait au grand public; il pourra sans doute rendre service à tous ceux qui s'intéressent, de près ou de loin, à accompagner les plus démunis de notre société.

Il est clair que cet ouvrage s'inscrit dans mon cheminement personnel, comme auteur, puisque j'y poursuis mon exploration de ce vaste territoire, si fondamental, de la santé et du vieillissement. Après avoir parlé du bénévolat en général, je traite des qualités et des exigences requises pour développer la compétence des bénévoles. Le savoir, le savoir-être et le savoir-faire dans l'accompagnement des malades, des personnes âgées et des mourants constituent l'essentiel du volume, qui se termine sur un chapitre consacré à la joie et au plaisir du bénévolat. Enfin, tous les aidants naturels – ils sont 3,9 millions au Québec! – tireront profit de la lecture de ce livre.

Cet ouvrage tire profit d'une expérience acquise au cours de plusieurs années et s'appuie sur des recherches rigoureuses. Par ailleurs, la validation du contenu par des experts m'apparaissait incontournable. C'est pourquoi je me suis adressé à ceux qui sont sur le terrain : chefs de service de bénévolat, présidents d'associations de bénévoles, infirmières-chefs, principaux bénévoles, coordonnateurs de centres d'hébergement, directeurs de résidences d'habitation privées, etc.

En raison de l'absence presque complète de ce genre de livre dans les milieux francophones, au Québec, au Canada comme en Europe, *Le bénévolat auprès des malades et des aînés* sera sûrement apprécié par l'ensemble des gens qui s'intéressent au bénévolat et viendra, j'en suis sûr, combler certains besoins en la matière.

André LEDOUX

> *Le bénévolat est un analyseur social de l'échec des solidarités nationales et des politiques sociales qui n'ont pas fait barrage à la pauvreté et à l'exclusion.*
> Dan FERRAND-BECHMANN

> *Le bénévolat devrait constituer non pas un palliatif aux ratés du système, ou à des choix sociaux aberrants, mais une bonification, un ajout à ce que nulle politique sociale ne saurait donner.*
> Henri LAMOUREUX

> *C'est le devoir de chaque homme de rendre au monde au moins autant qu'il en a reçu.*
> Albert EINSTEIN

CHAPITRE 1

Une perspective historique et socioéconomique du bénévolat

Solidement implanté dans notre milieu, le bénévolat demeure une valeur humaniste souvent méconnue. Il n'a rien à voir avec le fait de jouer aux bonnes âmes ; il nourrit l'estime de soi et permet de partager le talent et la sagesse. Le bénévolat se moque de la rémunération et favorise l'autonomie, la créativité et la croissance personnelle. Il contribue à la qualité de vie de la communauté et, pour ceux qui s'y adonnent, il est source de plaisir et de joie. Il y a plus : le bénévolat peut contribuer à moderniser les services publics et privés. C'est souvent par le volontariat que s'imposent des solutions originales, car le bénévole n'est pas paralysé par les programmes, les descriptions de tâches, les emplois du temps et les lourdeurs bureaucratiques.

Le sens étymologique du terme signifie *Je veux le bien*. Le bénévolat est un travail accompli gratuitement, de plein gré, de manière désintéressée et pour le bien de la collectivité. Ce mécénat de notre temps renforce les rapports sociaux pour contrer la solitude et l'exclusion ; il est fondamental à toute société qui vise un développement harmonieux de sa culture et de son économie. Le bénévolat porte différents noms : don, altruisme, générosité, offre, entraide, charité, bienfaisance, partage, volontariat, solidarité et philanthropie.

En 2004, 11,8 millions de Canadiens, soit 45 % de la population âgée de quinze ans et plus, ont consacré bénévolement du temps et des efforts à de multiples organismes sans but lucratif. En France, selon le Centre d'étude et de recherche sur la philanthropie (CerPhi), 13 millions de Français de plus de quinze ans – soit près de une personne sur quatre – interviennent occasionnellement comme bénévole dans une association humanitaire. Le nombre de bénévoles réguliers frise, quant à lui, les 6 millions, dont 300 000 dans le secteur caritatif.

Au Québec, 1 135 000 bénévoles donnent annuellement plus de 180 millions d'heures pour servir leurs semblables. À l'Hôpital du Sacré-Cœur de Montréal, de l'an 2000 à 2005, les quelque 160 bénévoles ont fourni 169 960 heures de travail et amassé une somme de 362 567 $. Phénomène qui n'est pas récent, ce don de soi exemplaire plonge ses racines dans le temps.

Historique[1]

Au XVIIe siècle, le bénévolat existe au Québec sous forme d'entraide ; les habitants se réunissent pour accomplir des tâches essentielles à leur survie. C'est l'époque où les cultivateurs s'adonnent à des corvées. En 1688, après le grand incendie de Québec, des citoyens engagés créent le Bureau des pauvres, un organisme bénévole qui soulage la misère des plus démunis. À la fin de ce siècle, les communautés religieuses de femmes, L'Hôtel-Dieu de Québec, la

Maison de la Providence, l'Hôpital général de Québec, de même que des services laïcs, viennent en aide aux orphelins, aux vieillards, aux prostituées et aux prisonniers.

Les épidémies de choléra de 1832 et de 1849 et celle de la typhoïde en 1847 amènent les gens à se serrer les coudes pour créer des organismes de bénévoles dirigés par des citoyens. Ainsi apparaissent au XIXe siècle la Société de Saint-Vincent-de-Paul, fondée à Québec en 1846, et la Young Men's Christian Association (YMCA), créée à Montréal en 1851, suivie de la Young Women's Christian Association (YWCA), à Montréal et à Québec en 1875. Ces organismes s'emploient à améliorer les conditions de vie des personnes en difficulté en leur fournissant des vêtements, des vivres et des moyens de s'en sortir par le biais de centres de formation, de clubs sociaux, de bureaux d'emploi, etc. Ils font la charité, selon l'expression consacrée. L'Armée du Salut, pour sa part, vient en aide aux célibataires et aux alcooliques. Créé en 1893, le Conseil des femmes de Montréal s'attaque au problème de la mortalité infantile. L'action bénévole semble maintenant ancrée dans nos mœurs.

Au début du XXe siècle, les caisses populaires Desjardins s'établissent graduellement à travers le Québec et leurs activités requièrent des bénévoles pour les conseils d'administration et les comités de travail. Par ailleurs, des femmes laïques donnent leur appui à des projets importants : Justine Lacoste-Beaubien ouvre, en 1907, le premier hôpital pour enfants, l'Hôpital Sainte-Justine, et une quinzaine d'années plus tard, Marie Gérin-Lajoie fonde une nouvelle communauté religieuse à vocation sociale, l'Institut Notre-Dame-du-Bon-Conseil destiné aux personnes en difficulté. Des coopératives agricoles font aussi leur apparition. Les bénévoles de l'Ambulance Saint-Jean interviennent lors de la grippe espagnole en 1918. Le dévouement des associations de bénévoles sera très apprécié au moment du krach de 1929 et au cours de la Seconde Guerre mondiale. Sans oublier la Société canadienne de la Croix-Rouge, qui fait appel à une foule de bénévoles.

Durant les années 1960, à Montréal et ailleurs au Québec, Centraide commence à secourir les plus pauvres de la société. Quelque vingt ans plus tard, les activités bénévoles se diversifient : banques alimentaires, soupes populaires, cuisines collectives, refuges, maisons d'hébergement, lignes d'écoute, maisons d'accueil, accompagnement des malades dans les hôpitaux, etc. C'est en 1995 que le Secrétariat à l'action communautaire autonome du Québec est mis sur pied pour conseiller les autorités gouvernementales quant aux besoins dans le domaine. Les bénévoles sont de plus en plus présents dans notre vie sociale, par exemple lors d'activités sportives ou politiques et la tenue de grands événements comme les festivals, les expositions, les carnavals, les téléthons, etc.

L'Assemblée générale de l'Organisation des Nations Unies a proclamé l'année 2001 l'*Année internationale du volontariat* afin d'accroître la reconnaissance du bénévolat et d'en faire la promotion. Cent vingt-trois pays ont appuyé cette initiative. La même année, la politique gouvernementale *L'action communautaire : une contribution essentielle à la participation citoyenne et au développement social du Québec* est adoptée. Puis, en 2004, le portail gouvernemental, *Le bénévolat au Québec*, est mis en ligne.

L'État-providence rebrousse chemin

L'émergence de l'État-providence dans un grand nombre de domaines au cours des années 1960, et l'arrivée des professionnels tels le travailleur social, le physiothérapeute ou l'ergothérapeute, finissent par atténuer l'importance du bénévolat. Dans les années 1990, l'État-providence s'essouffle et c'est le retour du balancier. On assiste au début du transfert des responsabilités de l'État au citoyen. Les gouvernements cherchent à responsabiliser à nouveau la communauté et le secteur sans but lucratif. On instaure une politique accrue de subventions aux groupes bénévoles qui, du fait même, permet à l'État d'assumer sa présence dans le champ social.

L'action bénévole devient de plus en plus, de nos jours, un véritable pilier de la vie socioéconomique. L'absence de bénévoles mettrait en péril les Jeux du Québec, les Jeux olympiques, les tours cyclistes, les grands tournois de tennis, etc. Sans l'apport des bénévoles, qui aiderait les bibliothèques publiques, les campagnes de charité et les associations culturelles ? Les centres d'hébergement pourraient-ils s'occuper aussi bien de leurs résidents sans leurs bénévoles ? Supprimer l'action bénévole plongerait nos sociétés dans le chaos ! On comprend donc l'intérêt des gouvernements à l'endroit de la bienfaisance.

Mais l'action bénévole a ses limites. Dans son ouvrage *Le Bénévolat entre le cœur et la raison*, Suzie Robichaud, Ph. D., professeure au Département des sciences humaines de l'Université du Québec à Chicoutimi, nous met en garde : *La situation économique existante semble introduire le rêve d'un retour à des solidarités moins coûteuses, sur un mode néanmoins plus organisé qu'autrefois. Mais le bénévolat ne doit pas être perçu comme une panacée pour justifier le retrait massif de l'État-providence. La mise en veilleuse du volontarisme étatique n'autorise pas le recours à celui du bénévolat*[2]. En d'autres termes, si essentiel soit-il, le bénévolat ne saurait remplacer certaines interventions de l'État.

Avec beaucoup de justesse, Suzie Robichaud formule trois postulats de recherche :

- L'évolution des relations entre l'État et les groupes bénévoles entraîne, non seulement l'institutionnalisation de ces derniers, mais aussi celles de leurs interactions avec les acteurs publics de leur environnement.

- L'institutionnalisation tend à transformer les groupes en quasi-appareils, ce qui les oblige à consacrer plus de ressources à leur fonctionnement interne et moins aux pratiques bénévoles.

- Cette transformation suscite une certaine désaffection des bénévoles, attribuable à la lourdeur des contraintes organisationnelles.

Elle procède ensuite à une analyse de cette relation bénévolat–État-providence. Elle écrit en substance que les bénévoles devraient maintenir leur engagement et elle reconnaît qu'ils réussissent plutôt bien à se soustraire aux changements, tout en gardant un esprit d'initiative. *Le bénévolat tend à devenir,* poursuit-elle, *à la fois une activité de cœur et une activité de raison. Le cœur, la raison. L'antagonisme épuisera-t-il la complexité de l'évolution récente des groupes? Le sens même du geste bénévole perd-il en spontanéité ce qu'il gagne en organisation seulement pour mieux supplanter une certaine conception de la générosité?*[3] Bref, il faut croire en une collaboration étroite entre le bénévolat et l'État-providence, et que les bonnes relations permettront de respecter la nature même de la bienfaisance et de la solidarité sociale.

LES STRUCTURES DU BÉNÉVOLAT AU QUÉBEC ET AU CANADA

Le bénévolat constitue un rouage important de la vie canadienne. Statistique Canada a publié récemment une recherche d'envergure intitulée : *Canadiens dévoués, Canadiens engagés : Points saillants de l'Enquête canadienne de 2004 sur le don, le bénévolat et la participation (ECDBP).* On y trouve des observations fort intéressantes :

- Le bénévolat représente près de deux milliards d'heures données à des organismes, soit l'équivalent d'un million d'emplois à temps plein.

- Les bénévoles canadiens ont consacré à leur tâche en moyenne 168 heures en 2004.

- Le bénévolat canadien s'incarne principalement dans les organismes de sports et de loisirs, les organismes de services sociaux, les organismes voués à l'éducation et à la recherche, et les organismes religieux.

- Les taux de bénévolat les plus élevés sont observés chez les jeunes, les diplômés universitaires, les personnes dont le revenu du ménage est supérieur à 100 000 $ et les personnes qui assistent à des cérémonies religieuses chaque semaine.

- Ce sont les personnes âgées, les personnes dont le revenu du ménage est moins élevé et les personnes qui pratiquent leur religion qui affichent le nombre moyen d'heures de bénévolat le plus élevé.

- Le taux de bénévolat varie selon la province et le territoire : le taux le plus élevé est observé en Saskatchewan (54 %), et le plus faible au Québec (34 %).

- Les trois principales raisons invoquées pour s'adonner au bénévolat sont la volonté de servir la collectivité, la volonté de mettre à profit ses compétences et son expérience, et l'intérêt que présente la cause que soutient l'organisme.

- Une majorité (83 %) de la population âgée de quinze ans et plus a accordé une aide directe à autrui, sans passer par un organisme sans but lucratif ou de bienfaisance[4].

Toujours selon la même enquête, une minorité de bénévoles sont à l'origine de 77 % des heures consacrées au bénévolat ; ils constituent la cheville ouvrière des organismes sans but lucratif et de bienfaisance du Canada. Qui sont-ils exactement ? Ce sont les personnes qui pratiquent hebdomadairement leur religion, de même que les diplômés universitaires, qui constituent 4 % de la population mais assurent 23 % de l'ensemble des heures consacrées au bénévolat.

Le Québec possède, quant à lui, le plus faible taux de bénévolat (34 %) parmi toutes les provinces canadiennes. Une longue tradition du don dans le milieu anglophone – pensons aux fondations des hôpitaux anglophones –, la richesse des citoyens de certaines provinces et un moins grand nombre d'enfants dans les familles sont les raisons parfois évoquées pour expliquer le phénomène. Ceux qui ne font pas de bénévolat invoquent souvent les motifs suivants : manque de temps (67 %), crainte d'un engagement à long terme (58 %), désintéressement, problème de santé, coûts financiers du bénévolat, expérience antérieure insatisfaisante, etc. Il arrive parfois que des gens ne sachent pas comment entrer en contact avec un organisme bénévole, d'autres s'imaginent qu'il est difficile de devenir bénévole parce que la tâche exige des compétences particulières et que tous ne peuvent être choisis.

Malgré tout, les Québécois ont consacré une moyenne de 159 heures annuellement au bénévolat. Ces heures équivalent à plus de 100 000 emplois à plein temps, à raison de 40 heures par semaine pendant 48 semaines. On évalue aussi à 3,9 millions, toujours au Québec, le nombre de personnes aidantes qui soutiennent des proches sans adhérer à un organisme communautaire. Il s'agit d'un apport remarquable.

Organiser ou superviser des activités ou des événements, siéger au sein d'un conseil d'administration, effectuer du travail de bureau ou remplir des fonctions administratives, fournir des soins de santé, solliciter des fonds, distribuer de la nourriture, telles sont les catégories d'activités bénévoles les plus courantes.

Les principaux organismes

Fondée en 1972, la Fédération des centres d'action bénévole du Québec (FCABQ) est un organisme à but non lucratif, qui rassemble 115 centres d'action bénévole présents dans presque toutes les régions du Québec. La FCABQ s'active autour de quatre objectifs : le regroupement des centres, la représentation, le soutien aux membres et la promotion de l'action bénévole au Québec. L'organisme parraine ainsi la Semaine de l'action bénévole depuis

1974; le gouvernement québécois lui avait également confié la coordination des activités de l'Année internationale des bénévoles, en 2001, avec l'aide de vingt-cinq organismes de différents secteurs.

Partenaire du gouvernement, la Fédération siège à titre de représentante du secteur bénévole au Comité aviseur de l'action communautaire autonome et gère de nombreux programmes et projets de formation s'adressant aux organismes et aux bénévoles. Son influence a mené à la création, en 1997, du prix Hommage bénévolat-Québec.

Le Centre d'action bénévole de Montréal (CABM), un des centres d'action bénévole de la région montréalaise, a le mandat de base de promouvoir et défendre le bénévolat. Il propose un site Internet où l'on recrute des bénévoles pour plus de sept cents organismes en lien avec la santé et les services sociaux, le développement communautaire, l'éducation, les arts et la culture, les sports et loisirs, etc. Environ 1 500 personnes ont été reçues en entrevue en 2004 et 2005.

Fondé en 1976, le Centre d'action bénévole de Québec Inc. (CABQ) dessert plus de 330 organismes dans la région de Québec et de Chaudière-Appalaches. Le CABQ a été choisi comme lauréat du prix Hommage bénévolat-Québec 2005 dans la catégorie Organisme en action. Cette corporation a célébré en avril 2006 son trentième anniversaire de fondation à l'occasion d'un colloque qui avait pour thème : « Droit de parole aux bénévoles ».

L'Association des gestionnaires de ressources bénévoles du Québec (AGRBQ) est aussi un organisme à but non lucratif. Fondée en 1958, l'association regroupe les gestionnaires de ressources bénévoles qui travaillent dans le secteur de la santé et des services sociaux. Les gestionnaires de l'AGRBQ accueillent et supervisent plus de 20 000 bénévoles. L'association favorise le perfectionnement des gestionnaires, assure un réseau d'échanges entre les membres, établit des normes et des critères relatifs au développement et à l'administration du bénévolat, tisse des liens avec divers organismes du secteur de la santé et des services sociaux et développe des partenariats avec d'autres regroupements du domaine communautaire.

Enfin, le Réseau de l'action bénévole du Québec (RABQ), créé en janvier 2003, a pour mission de regrouper les forces vives du bénévolat afin de favoriser les échanges, la représentation et la promotion de l'engagement communautaire. Le Réseau assure aussi la reconnaissance du volontariat, tout en contribuant à la formation et à la recherche sur l'action bénévole.

Plusieurs institutions possèdent leur propre organisation bénévole. C'est le cas de notamment pour de nombreux centres hospitaliers, dont l'Hôpital du Sacré-Cœur de Montréal où le Service de bénévolat gère le travail de quelque 160 bénévoles regroupés au sein d'une association.

Bénévoles Canada, pour sa part, est le représentant pancanadien de l'action bénévole au pays. Depuis 1977, l'organisme se dévoue à la cause du bénévolat et encourage la participation des citoyens par le biais de projets spéciaux et de programmes permanents.

Les centres d'action bénévole qui sont membres de Bénévoles Canada soutiennent les bénévoles et les organismes communautaires. Fondé en 1937 à Montréal, le premier centre d'action bénévole répondait aux besoins engendrés par la Seconde Guerre mondiale. Au cours des années 1960 et 1970, des centres d'action bénévole se sont disséminés dans plusieurs régions urbaines du Canada. Ces centres ont acquis, durant les trente dernières années, un savoir-faire considérable grâce à leurs programmes d'activités, de recherche et de formation.

Si le bénévolat dit « officiel » jouit d'une solide structure organisationnelle, le bénévolat non organisé exerce également une influence sociale indéniable. Selon Statistique Canada, environ 83 % de la population âgée de quinze ans et plus a accordé de l'aide à son prochain sans passer par un organisme. Il s'agit souvent de la catégorie des aidants naturels, omniprésents dans notre société : 60 % ont donné de l'aide à la maison, 50 % se sont occupés de soins de santé ou de soins personnels, 46 % ont fait des courses ou ont assuré le transport de personnes, etc.

Le Code canadien du bénévolat

L'édition initiale du *Code canadien du bénévolat* a été lancée pour souligner l'inauguration de l'Année internationale des volontaires en 2001. Une édition révisée est parue en 2006. Destiné aux organismes bénévoles, le guide propose des stratégies pour favoriser la participation des bénévoles et leur intégration dans les organismes, tout en faisant valoir leur rôle et leur importance.

Document-clé pour assurer une meilleure gestion de l'action bénévole, le *Code canadien du bénévolat* présente deux principes directeurs fondamentaux :

> Les bénévoles ont des droits. Les organismes bénévoles reconnaissent que les bénévoles constituent une ressource humaine essentielle et s'engagent à prendre des mesures pour appuyer leurs efforts.
> - Les pratiques de l'organisme assurent la participation efficace des bénévoles.
> - L'organisme s'engage à offrir un soutien aux bénévoles dans un milieu sécuritaire.
> - Les bénévoles ont des responsabilités. Les bénévoles prennent des engagements et sont responsables envers l'organisme.
> - Les bénévoles se montrent respectueux envers la clientèle et la collectivité.
> - Les bénévoles se montrent responsables et intègres dans l'exercice de leurs fonctions[5].

Les normes organisationnelles préconisées par le Code encadrent à merveille les organismes et leurs membres. On y trouve notamment des précisions sur la planification du programme et des politiques, les postes bénévoles, le recrutement, le filtrage, la supervision, la reconnaissance, etc. Bénévoles Canada recommande d'ailleurs fortement à tous les organismes d'adopter le *Code canadien du bénévolat* afin d'améliorer leur gestion et de mieux répondre aux exigences qui se manifestent dans nos sociétés.

Le bénévolat et le milieu du travail

Le bénévolat a fait ses preuves dans le soutien scolaire, l'aide à domicile, l'accompagnement des malades et des mourants, l'organisation des loisirs, etc. La compétence et le savoir-faire de la plupart des bénévoles ne sont plus à démontrer. Mais nous vivons dans une société où tout a été professionnalisé : l'éducation, la santé, la culture, les sports, les loisirs, etc. Pour plusieurs, faire appel au bénévolat, c'est une régression : des amateurs viennent prendre la place des professionnels ! *On accepte moins bien*, soutient Marie-Marthe T. Brault, sociologue, qu'une *personne accomplisse gratuitement un travail qui devrait relever normalement des services publics.* Dans les centres hospitaliers, pour ne donner qu'un exemple, le bénévolat n'est pas toujours accepté de bon gré. Il arrive qu'une infirmière ou un préposé aux patients fasse des commentaires peu élogieux à un bénévole, parce que ce dernier a manifesté un peu trop de zèle. Évidemment, il vaut toujours mieux ne pas empiéter sur le travail des professionnels de la santé. Il s'agit maintenant de continuer à bien former les bénévoles et de partager adéquatement les tâches entre ceux-ci et les professionnels, tout en assurant un bon travail de mise en relation dans le milieu.

Faire travailler des bénévoles à la réalisation de tâches complémentaires à celles des institutions constitue, comme l'affirme si bien Henri Lamoureux, *l'une des assises de la réorganisation du rôle de l'État dans un contexte de réorientation de la providence étatique*[6]. Ce qui explique l'attitude actuelle des gouvernements à l'endroit du bénévolat. Les interventions sont de plus en plus intéressées : en 2004, Québec a adopté un logo pour identifier les bénévoles du Québec ; la parution du *Code canadien du bénévolat* en est un autre exemple.

Le sociologue Dan Ferrand-Bechmann déclare: *Le secteur public – même si certains de ses acteurs sont des «serviteurs du public» – est fort éloigné sinon contradictoire avec le secteur du bénévolat et pourtant il devrait en être le partenaire et en soutenir davantage la dynamique*[7]. Espérons que les dirigeants de la société vont comprendre de plus en plus la valeur primordiale du bénévolat, ressource indispensable au mieux-être de toute la population.

LE BÉNÉVOLAT À L'HEURE ACTUELLE

Le bénévolat constitue une valeur socioéconomique de notre temps. Nier son importance et ses retombées remarquables sur nos sociétés nord-américaines en général, et dans la société québécoise en particulier, serait une grave erreur de vision culturelle. À cet égard, les propos de Dan Ferrand-Bechmann sont fort éloquents:

> Le bénévolat est un phénomène social fondamental dans notre société moderne. Il est une dimension essentielle dans une société où les individus ne veulent être ni seulement des hommes de loisir, ni des hommes de pouvoir, ni des hommes d'argent mais des hommes d'éthique, de solidarité, de lien social, des hommes utiles dans une mécanique tellement complexe que plus personne ne voit qui est son prochain. Le phénomène bénévole est un phénomène à la fois très ancien et très nouveau, reformulation du contrat social, réexpression d'une qualité de la vie en groupe. [...] Le bénévolat participe à un mouvement de régression et à un mouvement de progression constructif. Régression de la rationalité bureaucratique, de la spécialisation des fonctions et de la division des tâches et de l'organisation des solidarités. Progression de la participation de tous à la construction du social, à des activités revalorisantes comme dans le domaine social ou culturel[10].

Ce sont là les fondements mêmes de l'action bénévole. À tous les bénévoles d'y réfléchir et de les transposer dans le quotidien de leurs interventions. Avec justesse, Jean Blanchet écrit dans *Gestion du bénévolat*: *Le bénévolat apparaît de plus en plus comme une alternance politique et humaniste valable à l'omniprésence des États modernes, à la perte de chaleur humaine dans les communications interpersonnelles, à l'égocentrisme généralisé et à l'endettement des États causé par l'élargissement des services offerts à la population*[11].

Les bénévoles constituent aujourd'hui une force indéniable du système de santé et des services sociaux. «S'il n'y avait pas de bénévoles, je ne pourrais pas exercer ma profession», nous confiait un travailleur de la santé. Le bénévole offre une complémentarité au travail des professionnels par diverses tâches, ne serait-ce qu'au point de vue des relations humaines. Il est bien entendu que nous les retrouverons de plus en plus prodiguant des soins à domicile, car ce secteur est appelé à connaître une forte croissance au cours des prochaines années dans la perspective du maintien à domicile et du désengagement de l'État-providence.

L'univers productiviste

C'est un truisme d'affirmer que nous vivons dans une société de consommation où produire est souverain. Le temps, si précieux pour tous, est au cœur de cette course effrénée pour satisfaire des besoins mis en relief par la publicité. Le marché veut détenir le monopole du temps pour faire de nous tous de bons producteurs et d'excellents consommateurs. *Time is money*, disait Benjamin Franklin. Journée spéciale des aînés, clament les médias, où de multiples aubaines vous attendent… Prétexte pour conduire à la consommation et occuper le temps des personnes âgées. Les centres commerciaux ne sont-ils pas les paradis artificiels où déambulent, ayant perdu toute notion de temps, hommes et femmes à la recherche de satisfactions matérielles?

Le bénévolat va à l'encontre de ce paradigme de la production et de la consommation. Il accorde d'abord de l'importance à la relation humaine et donne du temps au temps. Le bénévole doit donc prendre conscience des risques et des conséquences de cet esprit mercantile.

L'acte de bénévolat, libre et gratuit, envers un inconnu, est un geste de contestation radicale de la mondialisation marchande, laquelle affirme que le temps n'est que de l'argent. C'est pourquoi on peut penser qu'il sera de plus en plus dans la mire du marché. On va chercher à l'encadrer, à le soumettre à des objectifs qui ne sont pas les siens, à diminuer l'importance du lien, la qualité du rapport que le bénévole entretient avec la personne qui reçoit ses services, à sacrifier la qualité de la relation à l'efficacité des résultats. L'esprit marchand peut pénétrer l'esprit des bénévoles eux-mêmes et transformer le sens de leur geste[8].

Le danger existe que l'on soumette le bénévolat aux diktats de la société de consommation et de la bureaucratie gouvernementale. Après tout, l'action bénévole représente un immense marché virtuel. Par les temps qui courent, la tentation est forte pour nos gouvernants d'imposer au bénévolat leurs vues et leurs priorités et de s'en servir pour amoindrir leurs problèmes financiers, pour que ce temps des bénévoles se transforme en argent. Cela pourrait altérer le sens même du bénévolat, qui deviendrait ainsi un travail non rémunéré, du *cheap labor*.

C'est pourquoi le bénévolat doit échapper à cette mentalité profiteuse et éviter de s'autodéfinir par rapport au modèle productiviste. Pourquoi ne tenterait-il pas de repenser la société actuelle, la bureaucratie étatique et les problèmes socioéconomiques? L'ouverture récente du restaurant Robin des Bois en est un bel exemple. Ce resto, installé en plein cœur de Montréal, fait appel à des centaines de bénévoles et mise sur le bénévolat créatif et l'engagement, tout en sensibilisant les gens aux besoins des plus démunis dans notre communauté.

Le bénévolat doit donc cultiver son propre système de valeurs: la gratuité, le don, l'engagement, la liberté du geste. Toutes les activités de l'action bénévole devraient être analysées et jugées à l'aune de ces critères et en ignorant ceux des autres secteurs. Fondamentalement axé sur le don, à l'opposé des intérêts personnels et de la hiérarchie, le bénévolat prouve que le temps n'est pas de l'argent et témoigne ainsi de la nécessité de miser sur d'autres valeurs que le mercantilisme ou le productivisme.

Le bénévolat et la diversité socioculturelle

Les immigrants s'engagent moins dans l'action bénévole que les Canadiens nés au pays. Ceux qui s'y adonnent consacrent autant d'heures par année (165) que les Canadiens d'origine. Peu d'immigrants bénévoles s'occupent des sports et des loisirs, mais, pour le reste, ils appuient les mêmes causes que les Canadiens nés au pays.

L'action bénévole doit prendre en compte la diversité culturelle du Québec, particulièrement celle de la grande région montréalaise où la population allophone croît à un rythme soutenu. Les différences de culture et de race constituent un défi pour l'État québécois. Cela est notamment vrai en ce qui concerne les personnes du troisième âge. La notion de troisième âge change d'une culture à l'autre et le rapport au temps diffère : vieillir chez les Orientaux et les Africains est lié à l'expérience de vie et à la sagesse, ce qui entraîne de l'autorité et du prestige social, alors que, dans la société occidentale, le vieillissement est souvent synonyme de déclin biologique, d'inutilité sociale et de charge pour l'État ; les vieux doivent profiter le plus possible du temps qui leur est accordé avant l'approche de la mort.

De plus, les rapports intergénérationnels au sein de la famille, de la communauté et de la société sont souvent conflictuels en Occident. Ailleurs, chez les Africains, par exemple, les rapports intergénérationnels reposent sur la transmission du savoir, du savoir-faire et du savoir-être, des attitudes positives qui valorisent les aînés.

Lomomba Emongo, chercheur à l'Institut interculturel de Montréal, avoue : *La diversité culturelle du Québec suppose que les rapports entre les générations se doublent, à l'échelle de la société, des rapports entre les cultures présentes. [...] L'action bénévole en lien avec les aînés dans un pays d'immigration devrait tenir compte des personnes âgées en tant que cet « autre » : autre par l'âge suivant un rapport intergénérationnel, autre également par l'origine culturelle différente suivant un rapport interculturel*. Une réflexion s'impose donc dans ce domaine de la diversité socioculturelle pour que le bénévolat puisse mieux répondre aux besoins de la population immigrante.

La relève, les baby-boomers

Les statistiques canadiennes révèlent que le bénévolat chez les plus de cinquante ans est en perte de vitesse, sans qu'on puisse savoir comment expliquer le phénomène. Bien entendu, les personnes âgées consacrent beaucoup d'heures à la bienfaisance, mais la réalité ne ment pas : le nombre d'aînés bénévoles diminue partout au Canada.

Les yeux se tournent donc vers les baby-boomers, cette classe sociale née entre 1945 et 1965 et dont quelques-uns atteignent maintenant l'âge de la retraite. D'ici 2012, le Canada comptera près de 15 millions de citoyens de plus de cinquante ans. Ils représentent actuellement plus de 30 % de la population canadienne et ce pourcentage est en hausse.

Dans la perspective d'une chute des effectifs bénévoles, il importe de comprendre et d'exploiter les valeurs, la dynamique et le poids du nombre des baby-boomers, les bénévoles aînés de demain. Les baby-boomers sont souvent bien nantis, en bonne santé, bien éduqués et plusieurs ont vécu la prospérité de l'après-guerre. Leur système de valeurs est différent de celui des autres générations – ils considèrent avoir des droits, mais peu de responsabilités.

Le mouvement bénévole devra composer avec cette génération et adapter ces stratégies d'embauche, de formation et de gestion en fonction des valeurs des baby-boomers, sans toutefois tomber dans le piège de la production et de l'efficacité technologique, mentalité propre aux baby-boomers. Henri Lamoureux tient là-dessus des propos fort pertinents :

> Alors que des milliers de baby-boomers atteignent l'âge de la retraite, sans doute faudrait-il les inciter à considérer l'engagement volontaire dans leur milieu comme une occasion à saisir de se donner d'autres voies de réalisation personnelles et de développement de l'estime de soi que le travail salarié. Cela est souhaitable, dans la mesure évidemment où ces bénévoles ne polluent pas ce qui fonde l'action volontaire en y introduisant le germe de la vision bureaucratique et technocratique de l'univers qui était souvent le leur auparavant. Le danger est réel puisque certains organismes où œuvrent des bénévoles sont maintenant, à l'image des grandes corporations et des régies régionales de la santé, dirigés par des PDG[12].

Voilà qui peut contribuer à dénaturer le bénévolat, si simple dans ses moyens d'action et dans son organisation.

Si l'on veut mettre fin à un ralentissement de l'entraide et de la bienfaisance observé depuis quelques années, le recrutement des bénévoles, particulièrement dans le domaine de la santé et des services sociaux, nécessite l'application d'un certain nombre de mesures essentielles. Pierre Riley, directeur général de la Fédération des centres d'action bénévoles du Québec (FCABQ), soutient que les organismes devraient :

- Rendre public leur besoin de bénévolat ;
- Contacter les familles et les amis des usagers ;
- Faire en sorte que les bénévoles puissent utiliser leurs compétences et en acquérir de nouvelles ;
- Trouver des façons de mettre en valeur l'aspect « engagement social » du bénévolat ;
- Impliquer graduellement les gens en leur demandant de s'engager à court terme, pour une tâche particulière ;
- Reconnaître la contribution des bénévoles et s'assurer qu'ils se sentent appréciés[13].

NOTES

1. Les données de cette section sont tirées de MESS, «Historique du bénévolat», Québec, ministère de l'Emploi et de la Solidarité sociale, Secrétariat à l'action communautaire autonome et aux initiatives sociales [en ligne]. [http://www.benevolat.gouv.qc.ca/historique/index.asp] (18 avril 2007)
2. Suzie ROBICHAUD, *Le bénévolat entre le cœur et la raison*, Chicoutimi, Les éditions JCL inc., 1998, p. 233.
3. Suzie ROBICHAUD, *ibid.*
4. STATISTIQUE CANADA, *Canadiens dévoués, Canadiens engagés : Points saillants de l'Enquête canadienne de 2004 sur le don, le bénévolat et la participation*, juin 2006, p. 33.
5. BÉNÉVOLES CANADA, *Le code canadien du bénévolat*, Ottawa, ministère du Patrimoine canadien, 2006.
6. Henri LAMOUREUX, «Le danger d'un détournement de sens. Portée et limites du bénévolat», *Nouvelles pratiques sociales*, 2002, vol. 15, n° 2.
7. Dan FERRAND-BECHMANN, *Bénévolat et solidarité*, Paris, Syros-Alternatives, 1992.
8. Jacques T. GODBOUT, «Le bénévolat n'est pas un produit», *Nouvelles pratiques sociales*, 2002, vol. 15, n° 2, p. 46.
9. Lomomba EMONGO, «Bénévoler au 3e âge. De l'action à l'interaction bénévole», *Le gérontophile*, hiver 2002, vol. 24, n° 1, p. 17-18.
10. Dan FERRAND-BECHMANN, *Bénévolat et solidarité*, Paris, Syros-Alternatives, 1992, p. 172-173.
11. Jean BLANCHET, *Gestion du bénévolat*, Paris, Economica, 1990.
12. Henri LAMOUREUX, *op. cit.*, p. 84.
13. Pierre RILEY, «Les enjeux de l'action bénévole», conférence prononcée lors de l'assemblée annuelle de la Table régionale des organismes communautaires Chaudière-Appalaches, 18 juin 2004, p. 6.

CHAPITRE 2
Être bénévole

Les bénévoles ont été longtemps des femmes appartenant à la
bourgeoisie et qu'on surnommait les *dames patronnesses*; jouissant
de conditions sociales exceptionnelles, elles disposaient de beaucoup
de temps pour s'occuper des déshérités. De nos jours, les bénévoles
proviennent de toutes les couches de la société, de toutes les races et
de tous les groupes d'âge. Femmes, hommes, jeunes, ils sont
présents dans tous les secteurs de la vie sociale : santé, arts et culture,
sports et loisirs. Certains travaillent d'une manière ponctuelle en
participant à un ou deux grands événements annuels, d'autres se
dévouent régulièrement quatre ou cinq heures par semaine, d'autres
enfin consacrent un temps considérable à une cause.

Avec raison, on associe la tâche du bénévole au *caring*. Deux bénévoles de la Maison Michel-Sarrazin à Québec définissent ainsi le terme : *Par* caring, *on entend généralement une façon d'être, un engagement, une présence bienveillante, une capacité d'écoute et de compassion, un respect du caractère unique de chaque personne et de son besoin d'autonomie ; le toucher réconfortant est également inclus dans les dimensions du* caring[1]. On constate ainsi toute l'importance de la relation humaine chez le bénévole.

Portrait du bénévole

À l'Hôpital du Sacré-Cœur de Montréal (HSCM), une enquête[2] menée à l'été 2006 a permis de tracer en quelque sorte le portrait du bénévole-type. Voici les faits saillants de cette recherche.

- Ce sont surtout des femmes (79 %) qui sont bénévoles à l'HSCM.

- La moyenne d'âge des répondants est 65,6 ans et 7 % ont plus de 81 ans.

- Un bon nombre de bienfaiteurs (32 %) ont fréquenté l'université.

- La majorité des bénévoles (52 %) vivent plutôt à l'aise sur le plan financier (revenu familial annuel de plus de 40 000 $).

- Un grand nombre (63 %) de bénévoles sont propriétaires.

- Parmi les activités quotidiennes des bienfaiteurs, 63 % déclarent que la lecture et l'écriture demeurent les plus importantes.

- Une majorité (60 %) de bénévoles regardent régulièrement la télévision ou vont au cinéma.

- De nombreux répondants (58 %) soutiennent qu'ils fréquentent assidûment les membres de leur famille ou leurs amis.

- Un bon nombre (35 %) de bénévoles jugent excellent leur état de santé et la moitié l'estime bon.

- Dans une grande proportion (86 %), les répondants font du bénévolat pour aider les autres et être utiles.

- C'est avant tout un problème de santé qui inciterait une majorité de bénévoles (82 %) à abandonner leur travail.

À qui et à quoi les bénévoles consacrent-ils surtout leur temps ? Au Canada et au Québec, les activités bénévoles les plus répandues sont l'organisation, la supervision ou la coordination de divers événements. La sollicitation de fonds et la participation à des conseils d'administration sont aussi populaires. Bien d'autres tâches tout aussi importantes échoient aux bénévoles : enseigner, donner de la formation, servir ou distribuer de la nourriture, transporter des gens, faire du travail de secrétariat, travailler dans une bibliothèque, s'occuper de manifestations culturelles, accompagner les personnes âgées, les malades ou les mourants, faire de l'entretien ou du porte-à-porte. De plus en plus de bénévoles œuvrent en milieu hospitalier et apportent soutien et réconfort à une population vieillissante dont la santé physique, et parfois mentale, requiert appui et présence.

Le bénévole a l'avantage de pouvoir se centrer entièrement sur sa tâche sans être obnubilé par des préoccupations bureaucratiques, donnant ainsi toute la place voulue à l'acte de bienfaisance. Henri Lamoureux raconte : *On l'a bien vu lors de la crise comme celle du verglas en 1996 : les bénévoles ont fait la différence. Alors que les cadres de l'humanitaire et les politiciens se querellaient dans les corridors, les personnes bénévoles, elles, étaient à l'œuvre dans les cuisines et les dortoirs des centres temporaires d'hébergement auprès des milliers de réfugiés de l'hiver québécois*[3]. On pourrait multiplier les exemples du genre, qui démontrent, encore une fois, la liberté et l'efficacité du bénévole dans l'accomplissement de ses tâches.

Des qualités à privilégier

Afin de pouvoir bien accomplir ses tâches, le bénévole se doit de posséder certaines qualités, comme la maîtrise de soi, la capacité de travailler en équipe, la souplesse d'esprit, l'affabilité, un bon jugement, le sens de l'humour, la sensibilité. Il ne devrait pas s'affoler devant certains symptômes du malade et être capable de bien gérer son stress.

Il va sans dire que le bénévole doit taire ses opinions politiques et religieuses, ses idées personnelles, ses croyances susceptibles de heurter l'autre. Chez les bénévoles plus âgés, la formation chrétienne est souvent bien ancrée et certains éprouvent de la difficulté à demeurer objectifs. Ils devraient donc se rappeler, au nom de la charité et de la solidarité humaine, que leurs interventions doivent prendre en compte les différences socioculturelles et les croyances religieuses diverses afin de réconforter l'autre en étant à l'écoute de *sa* quête de sens. La personne qui voit ses conditions sociales ou médicales se détériorer se questionne souvent : « Pourquoi cela m'arrive-t-il ? » « À quoi dois-je m'attendre ? » Bien entendu, les bénévoles ne peuvent et ne doivent pas répondre à ces questions, mais ils doivent plutôt demeurer à l'écoute et faire preuve d'empathie.

L'action bénévole, il n'est pas exagéré de le prétendre, exige un bon sens des relations humaines ainsi qu'une excellente communication avec ceux qu'on aide de même qu'avec tout le personnel du milieu de la santé, sans négliger les rapports avec les collègues. L'intelligence du moment, comme le rappellent Andrée Gauvin et Roger Régnier dans *L'accompagnement au soir de la vie*, est une sorte de présence d'esprit fort utile dans les moments critiques auprès des malades ou leurs proches : tout peut alors arriver, de la simple dispute à l'agressivité ou à la violence verbale… Ce n'est donc pas le temps de jeter de l'huile sur le feu.

L'engagement est un travail bien particulier. Le bénévolat doit demeurer avant tout un moment de plaisir, une activité privilégiée où l'on donne, mais aussi où l'on reçoit : aider les autres constitue un enrichissement précieux sur le plan moral et social. Pour bien accomplir son travail, le bénévole doit respecter des balises sous peine d'éprouver des difficultés de fonctionnement. D'après Gaël Octavia[4], ces repères sont les suivants :

- Se connaître

Tout bénévole doit être capable de mesurer ses forces, ses faiblesses et ses limites. Doser, s'il le faut, son endurance, surtout dans le domaine social. Il faut éviter cette fatigue psychologique qui s'empare souvent des plus zélés.

- Être capable de distance

Il y va de l'équilibre psychosomatique. Face aux difficultés, à la misère ou à la souffrance des autres, il faut savoir se protéger et conserver une distance émotive fondamentale pour aider efficacement les plus démunis, y compris les mourants. Ce qui n'a rien de la froideur ou de l'indifférence et n'exclut pas parfois des liens très empathiques qu'on peut créer avec certains patients. On doit être capable d'oublier les moments forts et intenses de l'action bénévole ; ramener des préoccupations à la maison n'est pas un bon signe. Il existe des groupes de soutien pour les bénévoles qui arrivent plus difficilement à ventiler leurs émotions.

- Être attentif à soi-même

Pour garder son enthousiasme et sa motivation, pour éviter l'épuisement, il faut revenir à soi, ne pas exagérer le nombre d'heures de travail et s'accorder du repos et des distractions. Il importe de savoir se tourner vers les aspects heureux et agréables de la vie et se répéter : *Bien sûr, certaines personnes sont mal-en-point, je tente de les aider, mais je profite aussi de ma santé pour jouir des nourritures terrestres !*

Ses motivations

Pour entreprendre des activités de bénévolat, toute personne doit être mue par des motifs suffisamment sérieux qui lui permettront de persévérer dans son projet. Les intérêts personnels – comme la volonté de se glorifier auprès de ses semblables, d'exercer de l'influence, d'obtenir les services d'un organisme – jouent aussi un rôle dans cette décision. Chez les jeunes, le désir de se trouver un emploi en dirige plusieurs vers la philanthropie. *Le bénévole est altruiste*, soutient Dan Ferrand-Bechmann, *quand, sans compter ni escompter de bénéfice symbolique, il se donne pour les autres. Mais il est à la frontière de l'égoïsme quand il « se donne » par ennui, solitude ou pour des motivations qui sont clairement un bénéfice pour soi.*

Des études ont fait ressortir comme raisons de s'adonner au bénévolat le besoin d'appartenance, le sentiment d'être utile, la volonté de participer, le sentiment du devoir religieux et le désir d'acquérir un statut social. Dans son enquête de 2004, Statistique Canada parle de contribution à la société, de mise à profit de la compétence ou de l'expérience, de cause intéressante à soutenir, de relations humaines à développer… On affirme surtout que la volonté des bénévoles, dans une proportion de 92 %, de contribuer à la vie de la collectivité demeure un facteur essentiel de leur engagement. Quant aux retraités, ils trouvent dans le bénévolat une raison de vivre et une excellente façon de garder contact avec la société.

Jacques T. Godbout avoue : *La motivation de loin la plus importante, qui ressort pour expliquer l'engagement dans l'action volontaire, c'est le fait qu'on a beaucoup reçu et qu'on souhaite rendre un peu de ce que l'on a reçu, de sa famille, de son milieu, de la « vie en général ». Les bénévoles se sentent des obligations envers les personnes aidées*[5]…

Bien qu'il faudrait mener des recherches plus en profondeur dans ce domaine, on peut affirmer que le bénévole s'engage en général pour les motivations suivantes :

- Pour aider les autres et être utile ;
- Pour occuper son temps libre ;
- Pour mettre ses compétences à profit ;
- Pour acquérir une expérience de travail ;
- Pour connaître des gens et se faire des amis ;
- Pour se réaliser et s'épanouir ;

- Pour exprimer sa reconnaissance envers la société ;

- Pour travailler à une cause ;

- Pour acquérir de nouvelles compétences ;

- Pour faire reconnaître ses talents ;

- Pour participer au mieux-être de la collectivité ;

- Par solidarité envers les personnes souffrantes.

Les aidants naturels

Les aidants naturels constituent un renfort invisible, mais efficace, au système de santé et lui permettent de fonctionner en cette période de désinstitutionalisation et de resserrement budgétaire. Ils fourniraient 80 % de l'ensemble des soins aux personnes nécessitant des soins prolongés. Dans le contexte du bénévolat dit « officiel », on pourrait affirmer que les aidants naturels sont un peu des laissés-pour-compte. Ils ne jouissent pas de l'appui d'une organisation ni des relations souvent chaleureuses avec des collègues qui partagent un même idéal. Ils travaillent dans l'ombre, souvent auprès de leurs proches, un mari, une tante, un frère, une grand-mère… Leur caractéristique principale : dispenser des soins ou du soutien à un membre de la famille, à un ami, à un voisin aux prises avec une maladie grave ou un handicap physique ou mental. Ils font preuve de patience, de dévouement, de sens de l'écoute et de renoncement. Certains quittent même leur emploi ou prennent une retraite hâtive pour mieux répondre aux besoins des autres.

Le Québec s'est doté d'une politique de maintien à domicile en 2003. Le soutien aux aidants est devenu une priorité pour tous les CSSS. Cette politique n'est pas dénuée d'intérêt mais, pour l'implanter convenablement, nous aurions besoin de 300 millions $, et l'on disposait seulement de 40 millions $ en 2004. Bien sûr, les services communautaires actuels allègent la tâche des aidants naturels, mais il y a tant à faire.

Derrière les concepts si à la mode de *virage ambulatoire* et de *maintien à domicile* se cache souvent une bien triste réalité : ce sont avant tout les femmes qui s'impliquent dans l'aide naturelle. Dans le cas de la maladie d'Alzheimer, plus de 70 % des aidants naturels sont les femmes ou les filles des personnes atteintes. Des femmes mariées, mères de plusieurs enfants, au travail parfois, qui rognent dans leur temps de loisirs et de repos pour se dévouer auprès des leurs jusqu'à l'épuisement. Dure épreuve que de concilier travail, responsabilités familiales, santé personnelle et aide aux proches. Un exemple classique : Mme X, très engagée socialement, prend soin de son mari depuis quelque temps ; atteint de la maladie d'Alzheimer, il devient graduellement aphasique et paraplégique. Elle se procure un lève-personne pour lui venir en aide et le garder le plus longtemps possible à la maison. Au bord de la dépression et, avec culpabilité, elle se résigne à le placer dans un centre de soins de longue durée.

Comme on peut le lire dans Génération Vivre vieux, Vivre mieux *: les recherches démontrent que les proches aidants portent souvent un lourd fardeau, souffrent d'isolement, de détresse psychologique et parfois même de dépression. Ils doivent gérer au quotidien le stress important lié à leur situation de soignants et négligent leur propre santé[6].*

Les aidants naturels doivent donc éviter la fatigue extrême, voire la maladie, tout en continuant à prodiguer des soins. Ils peuvent obtenir du soutien des centres de santé et de services sociaux (CSSS) ; les organismes comme la Société Alzheimer, la Société d'arthrite, la Société canadienne du cancer, la Société de l'ostéoporose du Canada, la Société canadienne de la sclérose en plaques peuvent aussi apporter un appui inconditionnel à ces bénévoles anonymes.

La Société Parkinson Canada, pour ne donner qu'un exemple, met à la disposition du public une documentation fort appropriée où l'aidant naturel peut puiser une foule de conseils. Tout est expliqué clairement et l'information guide pas à pas toute personne qui se voit investie du rôle d'aidant naturel. On y décrit comment les aidants naturels doivent partager leur fardeau avec des proches, trouver des moyens de prendre du recul et faire le plein d'énergie. La revue trimestrielle de l'organisme, *L'Actualité Parkinson*, de même que son site Internet, sont également des mines de renseignements.

Le gouvernement du Canada a reconnu l'importance des aidants naturels et les appuie financièrement grâce à certaines mesures fiscales. Pourrait-il faire plus pour soutenir les 3,8 millions d'aidants naturels du pays ? Dans un récent budget, le ministre des Finances du Québec annonçait pour sa part la mise en place d'un crédit d'impôts pour aidants naturels. Avec ce crédit, un couple à faible revenu qui prend soin de son enfant handicapé d'âge adulte récolte un soutien additionnel de 1 000 $ par année. *Grâce à cette réforme, plus de 80 000 aidants naturels et personnes atteintes d'un handicap physique ou mental bénéficieront d'un soutien supplémentaire de 43 millions $*, a précisé le ministre des Finances. Mesures bien modestes si l'on tient compte des immenses besoins dans le domaine.

Un jour, la plupart d'entre nous devrons nous occuper d'un être cher en perte d'autonomie. C'est peut-être le prix à payer pour la longévité qui s'accroît de plus en plus. Les dépendances physiques ou psychologiques viennent avec l'âge. Saurons-nous bien le soutenir ? Comprendrons-nous ce que l'autre ressent ? Trouverons-nous les bons mots pour le dire ? Sera-t-il facile d'exercer un rôle d'aidant naturel ? Comment saurons-nous accompagner un malade, une personne âgée ou quelqu'un qui arrive en fin de vie ?

Les bénévoles du secteur de la santé

Les bénévoles du secteur de la santé sont en général plus âgés que ceux des autres services et les femmes y sont présentes dans une proportion de 78 %, la plupart étant à la retraite, indique Pierre Riley[7]. Les bénévoles de la santé sont moins scolarisés ; 40 % de ces personnes détiennent un diplôme universitaire, comparativement à

71 % pour les bénévoles des autres secteurs. Fait intéressant, 28 % de ces bénévoles sont les aidants naturels d'un membre de leur famille.

On remarque avec inquiétude une décroissance du nombre de bénévoles dans le domaine de la santé. Pourquoi le bénévole déserte-t-il ce milieu où les besoins sont de plus en plus criants ? *C'est le secteur où on retrouve de moins en moins de bénévoles,* déclarait à *La Presse,* Pierre Riley. *C'est plus facile de recruter pour un musée que pour un hôpital. Ce qui est triste, c'est qu'il s'agit d'un secteur où il y a de moins en moins d'effectifs et d'argent.* Comment expliquer ce désintéressement ? La crainte des infections nosocomiales est fondée, selon Dolorès Boulay, qui gère les quelque 800 bénévoles au CHUM ayant fourni, en 2005, 106 000 heures de leur temps. D'autres prétendent que les relations entre les salariés et les bénévoles sont parfois difficiles : des employés craindraient pour leur emploi ! Et, dans certains hôpitaux, on demande aux bénévoles de remplacer des membres du personnel, ce qui déplairait à des bénévoles qui y voient des entorses à leur action. Par ailleurs, il est permis de croire que les professionnels de la santé sont tellement débordés qu'ils accepteront de plus en plus un soutien bénévole plus varié dans quelques années.

LES RESPONSABILITÉS DU BÉNÉVOLE

Ce n'est pas parce que le bénévole donne de son temps qu'on peut faire abstraction de certaines exigences à son endroit. Fondamentalement, il doit être responsable et compétent ; il doit aussi respecter le code d'éthique et la philosophie de l'établissement pour lequel il travaille. Voilà pourquoi il est important que le bénévole choisisse bien son milieu de travail. La bonne personne à la bonne place ! Il appartient au bénévole de s'assurer que les valeurs socioculturelles et la philosophie de son lieu d'intervention correspondent à ses propres valeurs sociales. Comme nous l'explique si bien Mme Johanne Béland, chef du Service des bénévoles de l'Hôpital Maisonneuve-Rosemont, *trop de gens s'inscrivent comme bénévoles dans des milieux qui ne leur conviennent pas. Le bénévole se présente souvent comme une personne qui attend que le milieu l'accepte! Or, c'est un échange et une réciprocité qui devraient s'instaurer entre le bénévole et son milieu d'intervention. Sans ce partage, le bénévole n'aura pas de plaisir et ne sera pas satisfait de son engagement social.*

Le bénévole assume par ailleurs une multitude de responsabilités. Le bénévole doit faire sienne la philosophie de l'organisme ou du service pour lequel il travaille et en partager les buts et les objectifs. Il doit accomplir ses devoirs consciencieusement, tout en respectant la clientèle, ses caractéristiques et ses valeurs, ce qu'elle est et ce qu'elle désire. Il doit également s'efforcer d'entretenir d'excellentes relations avec la clientèle et les autres intervenants.

Respecter un code d'éthique

L'intervention auprès de ses semblables exige que le bénévole se plie à un code d'éthique. Du mot latin *ethicus*, le terme *éthique* veut dire *morale*. Science du bien et du mal, l'éthique a pour objet l'action humaine et les divers comportements des personnes; elle repose sur des principes, un système de valeurs, des règles et une façon de faire afin de régir la conduite qui s'impose dans un milieu ou un groupe.

Pour le bénévole, le code d'éthique présente les exigences suivantes:

• Maintenir la confidentialité des informations

Au contraire de la publicité, la confidentialité fait en sorte que le bénévole ne diffuse pas les renseignements qu'il peut obtenir au cours de l'exécution de ses tâches. En principe, tout ce qui touche aux usagers, le personnel soignant ou les bénévoles n'a pas à être dévoilé. La discrétion, cette retenue dans les relations sociales, demeure une qualité fondamentale qui rejoint finalement l'observation du secret professionnel.

• Respecter la personne et ses proches

Le patient, sa famille et ses amis vivent souvent des moments pénibles. Ils ont droit à de la compréhension, du respect et de la considération. Le bénévole doit faire preuve de neutralité dans ses conversations ; il s'abstiendra de juger ou de commenter.

• Démontrer une attitude loyale envers les autres

Le bénévole est appelé à travailler en équipe et à côtoyer diverses personnes. C'est un métier où les relations humaines sont souveraines. Il doit donc manifester une capacité de nouer de bons rapports avec les autres dans un climat de droiture et d'honnêteté intellectuelle.

Son engagement moral dans le milieu

Le rôle du bénévole est strictement humain. Il est présent auprès de l'équipe des soins et il apporte aux malades son temps, sa disponibilité, sa générosité de même que sa neutralité : il n'est ni un préposé aux patients, ni un infirmier, et encore moins un médecin.

En ce sens, le bénévole est soumis à un engagement clair et précis :

• Dans le milieu de la santé et des services sociaux, il doit agir dans le respect des convictions et des opinions de chacun ;

• Il n'intervient pas dans le domaine médical, ni dans les affaires administratives, ni dans la sphère d'activités du personnel de la santé ;

• Il respecte la confidentialité des informations qui pourraient lui parvenir de sources diverses ;

• Il travaille en collaboration avec les membres de l'équipe.

Le bénévole doit aussi surveiller ses attitudes envers le malade et ses proches. Certains comportements sont strictement à éviter :

- Rassurer à tout propos ;

- Changer le sujet de la conversation, ou faire de l'humour, afin d'alléger l'atmosphère, sans tenir compte des propos et de l'état de la personne malade et de ses proches ;

- Porter des jugements sur les actes ou propos de la personne malade ou de ses proches ;

- Conseiller par rapport à des aspects qui dépassent les limites de son rôle ;

- Interpréter les propos et les réactions de la personne malade et de ses proches ;

- Enquêter, évaluer et établir des diagnostics ;

- Affronter la personne malade ou ses proches ;

- Parler de soi souvent et longuement[8].

La formation

On croit souvent, à tort, que le bénévole accomplit un travail de *cheap labor* qui nécessite peu de qualités. Il exécute des tâches importantes, surtout du travail de relations humaines, et il doit s'en acquitter parfaitement avec les outils dont il dispose ou ceux que lui donnent des stages de formation appropriés. Il a donc la responsabilité d'acquérir une formation adéquate à son rôle et ses mandats.

Bien que très utile, voire nécessaire, la formation du bénévole n'est pas parfaitement entrée dans les mœurs. Pratique plus ou moins courante, plusieurs bénévoles n'en ressentent malheureusement pas le besoin : leur travail est avant tout dans l'action ; le souci du perfectionnement et la réflexion sur leur engagement passent en second. Selon une enquête menée en France en 2004, seulement 8 % des bénévoles disent avoir suivi une formation. On constate aussi que plusieurs bénévoles, issus souvent de professions libérales, sont bardés de diplômes universitaires qui feraient l'envie de plusieurs dirigeants d'organismes. Mais cela ne donne pas nécessairement des compétences en relation d'aide.

Proposer des programmes de formation n'est donc pas une sinécure. La complexité du milieu bénévole, les attentes particulières, la multiplicité des champs d'intervention exigent de la part des décideurs de la compétence, de l'expérience et une philosophie progressiste du bénévolat. Les acquis des bénévoles doivent également être pris en compte dans ces programmes.

Il est évident que la formation relève beaucoup des différents secteurs d'activités : on ne forme pas de la même manière les bénévoles des sports et des loisirs (entraîneur de soccer) que ceux des activités culturelles (guide dans un musée). Ceux qui travaillent dans le secteur sociocommunautaire, comme les centres d'hébergement et les centres hospitaliers, ont à la fois le devoir et la responsabilité de recevoir une formation minimale, qu'ils doivent mettre à jour de temps à autre. Quant aux personnes qui prennent soin des malades atteints de la maladie d'Alzheimer ou d'autres démences, leurs tâches requièrent une formation spécifique portant sur la nature de la pathologie, la façon de communiquer avec le malade, la gestion comportementale, etc. L'accompagnement des personnes âgées, des grands malades et des mourants exige des connaissances, un doigté, une sensibilité et des qualités particulières, que doivent étayer de bons programmes de formation.

Les modalités de formation peuvent évidemment varier presque à l'infini : conférences, sessions intensives, cours s'échelonnant sur plusieurs semaines, parrainage, autodidactisme, participation à des congrès ou à des colloques, travail d'équipe, mentorat, etc. Encore faut-il que le bénévole soit suffisamment motivé pour saisir ces occasions souvent fournies par les associations ou les services.

Pour mieux rentabiliser les programmes de formation, on pourrait :

- Expliciter les buts du perfectionnement et ses retombées sur l'action bénévole ;

- Préciser le plus possible les divers éléments de la programmation et les avantages qu'on peut en tirer ;

- Faire preuve d'originalité et de créativité pour susciter l'intérêt ;

- Mettre l'accent sur des situations réelles, des études de cas, pour rapprocher le plus possible la formation de la réalité quotidienne ;

- Utiliser l'expérience des bénévoles pour enrichir les échanges ;

- Miser sur les jeux de rôles pour aider les bénévoles à maîtriser des situations données ;

- Éviter les pertes de temps lors de la formation : les bénévoles peuvent avoir d'autres priorités dans la journée.

LES AVANTAGES D'ÊTRE BÉNÉVOLE

Le bénévolat profite largement à ses adeptes ; le don de soi a toujours des retombées positives pour ceux qui se dévouent à diverses causes. Les recherches ne manquent pas de mettre cette constatation en relief. Chez les adultes plus âgés, l'action bénévole peut s'avérer un facteur essentiel de satisfaction de vivre. Se dévouer pour les autres améliore la santé, la vitalité, l'estime de soi et même la longévité[9].

Dans les faits, le bénévole exerce ses compétences ou ses habiletés, explore de nouveaux domaines, ressent l'appui de ses pairs et l'appartenance à un groupe, est mieux informé, influence positivement son entourage et affine son adaptation sociale. Il va sans dire que, surtout au moment de la retraite, ces avantages sont bénéfiques et favorisent l'actualisation de soi. Il s'agit d'une excellente manière de vaincre l'isolement et de renforcer son estime de soi.

Le bénévolat n'est pas un produit et, parce qu'il s'inscrit dans une philosophie du don de soi, le bienfaiteur en tire un grand profit. *Du cadeau aux proches, au bénévolat lors des grandes catastrophes, à l'aumône ou au don du sang, on donne fondamentalement pour rompre l'isolement de l'individu, pour sentir son identité de façon non narcissique – d'où ce sentiment de puissance, de transformation, d'ouverture, de vitalité qui vient aux donneurs, et qui leur fait dire qu'ils reçoivent plus qu'ils ne donnent*[10].

De la reconnaissance, du plaisir à penser aux autres, une satisfaction personnelle, une meilleure santé et même un accroissement de la longévité, voilà quelques-unes des récompenses pour les bénévoles. Les témoignages abondent en ce sens de la part de personnes qui ont consacré des milliers d'heures à la bienfaisance. *La plupart des êtres humains*, avoue le politicologue Vincent Lemieux, *préfèrent les joies de la relation sociale au plaisir des choses possédées*.

Reconnaître l'apport des bénévoles

La reconnaissance et l'appréciation des bénévoles demeurent primordiales pour assurer la rétention de leurs services à longue échéance. Mme Johanne Béland explique : *Recruter et retenir des bénévoles sont sûrement les deux fonctions les plus importantes et les plus difficiles à réaliser pour un responsable de bénévolat. Le recrutement n'est déjà pas facile, la rétention est encore plus difficile, car il arrive que les bénévoles quittent pour des raisons personnelles fort louables. Il est prouvé que, plus le bénévolat est situé près du domicile, plus les chances que le bénévole reste en poste plus longtemps sont augmentées. Il faut donc recruter davantage et former des bénévoles plus polyvalents. Il faut aussi élever le niveau d'encadrement. Un bénévole qui se sent bien encadré et compétent aura plus le goût de continuer. Enfin, il importe d'intégrer les bénévoles au milieu environnant; ils doivent être impliqués dans les décisions et se sentir concernés par la gestion de leur bénévolat.* L'écoute, le respect, la place accordée à leurs initiatives, un intérêt à la qualité de leurs expériences constituent aussi une façon adroite pour les gestionnaires d'assurer la rétention des bénévoles.

Faut-il rémunérer les bénévoles?

L'idée circule bel et bien dans certains milieux, et le bénévolat rémunéré existe d'une façon non officielle. En effet, des organismes ou des institutions paient des travailleurs avec un salaire ou des honoraires minimaux, bien en deçà de la valeur réelle du travail exécuté. C'est du bénévolat rémunéré dans la mesure où les personnes acceptent ces conditions et y voient une compensation pour leurs frais de déplacement et de repas, auxquels s'ajoute parfois un forfait. Par exemple, un professionnel de l'enseignement à la retraite pourrait être rémunéré à 10 $ l'heure pour œuvrer dans une institution privée, à raison de quinze heures par semaine.

Fait plutôt rarissime, le bénévolat rémunéré n'a rien à voir actuellement avec le bénévolat officiel. Les bénévoles devraient-ils être rémunérés systématiquement? Pierre Riley pose la question dans l'éditorial[11] du bulletin d'information *Bénévol'Action*. Il y cite par exemple certaines pratiques qui ont cours: un congrès d'orientation des Caisses Desjardins où 59 % des quelque 1 000 délégués présents appuient le principe de rémunérer les dirigeants bénévoles élus; un président bénévole d'une importante Caisse qui reçoit une rémunération annuelle de plus de 9 000 $ et dont les administrateurs touchent chacun presque la moitié de ce montant; un conseil d'administration d'un organisme bénévole lié à l'accompagnement-transport qui adopte une nouvelle grille de remboursement des frais mensuels de déplacement avec un taux qui se bonifie avec le kilométrage et dont les membres ont également droit à des bons d'essence gratuits.

À l'automne 2000, la Chambre des communes à Ottawa avait même songé à étudier un projet de loi privé pour rendre les bénévoles éligibles à des déductions fiscales, ce qui aurait été une autre manière de rémunérer les bénévoles. Pour nous, cette stratégie irait à l'encontre même de l'esprit de la bienfaisance. L'action bénévole est foncièrement désintéressée et doit être marquée au coin de la gratuité. Les mesures de compensation financière ne feraient que dénaturer le volontariat, risqueraient de semer la zizanie dans le milieu de la philanthropie et pourraient faire des bénévoles des gens âpres au gain. Non, il ne faut pas rémunérer les bénévoles ! *La spécificité (l'essence) du bénévolat, selon Dan Ferrand-Bechmann, n'est pas seulement dans le don et l'altruisme, mais aussi dans son caractère non marchand.*

La reconnaissance

Le Petit Robert définit ainsi la reconnaissance : *Sentiment qui pousse à éprouver vivement un bienfait reçu, à s'en souvenir et à se sentir redevable envers le bienfaiteur.* La reconnaissance vient souvent de la part des personnes à qui le bénévole a rendu service. Quel que soit le secteur d'activité, il se trouve toujours des gens qui savent reconnaître ce qui a été fait et s'empressent d'exprimer leur gratitude. C'est particulièrement vrai dans l'accompagnement des malades et des personnes âgées. « On ne sait combien vous remercier ! », « Vous êtes un ange ! », « J'apprécie beaucoup ce que vous faites pour moi ! » « Qu'est-ce qu'on ferait sans votre aide ! » Ce sont quelques exemples de remerciements… qui vont droit au cœur !

La reconnaissance du bénévole dépend beaucoup du milieu organisationnel auquel il appartient. Les propos du directeur général de la FCABQ, Pierre Riley, sont d'une pertinence indiscutable : *Le salaire d'un bénévole est l'assurance d'être reconnu comme un partenaire à part entière et respecté au sein de l'organisme. Aussi la reconnaissance doit-elle faire partie intégrante du processus de gestion et veiller à ce que les bénévoles se sentent valorisés au sein de l'organisme pour lequel ils œuvrent*[12]. D'où l'existence des activités de reconnaissance dans la plupart des milieux du bénévolat.

Les programmes de reconnaissance constituent les meilleurs moyens de favoriser le rendement du bénévole, de valoriser ses efforts, de susciter ses intérêts, de l'encourager pour qu'il persévère dans son engagement au sein d'un organisme. Comme l'exprime si bien Pierre Riley[13], les programmes de reconnaissance devraient :

- Fonder la récompense sur l'appréciation de chaque bénévole comme une personne unique ;

- Se concentrer sur le travail ou les tâches du bénévole ;

- Récompenser les efforts de manière appropriée ;

- Reconnaître les contributions de longue date ou les efforts exceptionnels ;

- Offrir des récompenses pouvant être partagées par des équipes de bénévoles ou qui s'adressent à l'ensemble de l'organisme.

L'organisme peut également marquer son appréciation envers les bénévoles en rendant plus personnelles les activités de reconnaissance à leur intention.

Les modalités de reconnaissance ne manquent pas. Un sourire, des remerciements ponctuels, des félicitations, une remise de trophées, de médailles ou d'insignes, une oreille attentive, une cueillette de commentaires, un anniversaire ou un événement spécial souligné, des outils de formation adéquats offerts ; toutes ces marques de gratitude ne coûtent rien aux dirigeants d'organisme et font toujours plaisir.

Enfin, chaque année, de nombreux prix et récompenses sont offerts aux bénévoles dans plusieurs secteurs d'activités. Il existe plusieurs prix municipaux, québécois ou canadiens. Énumérons-en quelques-uns :

- Prix Hommage bénévolat-Québec

- Prix FADOQ

- Prix Thérèse-Casgrain

- Prix du Mérite municipal

- Prix Femmes de mérite

Sans compter qu'un organisme peut toujours créer son prix maison annuel, un trophée ou une plaque souvenir, qui peut être décerné au bénévole le plus méritant ou à un bénévole qui s'est particulièrement distingué dans une activité donnée.

Pour terminer, rappelons que le bénévole possède en général des qualités fort estimées dans la société occidentale : le dévouement, la gratuité et la disponibilité. Il retire forcément des gratifications de son engagement comme le prestige social, la valorisation personnelle, un certain pouvoir et la reconnaissance de ses pairs.

Évaluer le rendement du bénévole

Est-ce pertinent de juger comment le bénévole accomplit sa tâche ? Dans le monde du travail, les employés sont souvent évalués de diverses façons et, dans bien des cas, il existe un système d'évaluation du rendement qui s'applique avec rigueur et objectivité. Mais, pour les bénévoles, la nature humaine étant ce qu'elle est, s'il n'y a pas de balises ou d'exigences clairement formulées dans l'accomplissement d'une tâche, on risque de faire preuve de laisser-aller et de facilité. Il est donc souhaitable qu'un mode d'évaluation du rendement soit mis en place dans les organismes de bénévolat, surtout dans le domaine de la santé et des services sociaux. La norme 12 du *Code canadien du bénévolat* stipule justement que :

> L'organisme devrait régulièrement évaluer la participation des bénévoles pour s'assurer qu'elle se fait en accord avec le mandat de l'organisme. Ce genre d'évaluation devrait se fonder

sur l'examen des buts et des objectifs, l'analyse des résultats obtenus, les commentaires des bénévoles et des clients actuels ainsi que la collecte de données quantitatives et qualitatives sur la participation des bénévoles.

L'organisme évalue régulièrement l'incidence et la contribution des bénévoles, et celles de son programme de bénévolat, afin de déterminer s'il reçoit l'aide dont il a besoin pour remplir sa mission.

- L'organisme établit annuellement des objectifs de performance pour le programme de bénévolat.
- L'organisme évalue annuellement l'atteinte des objectifs en matière de performance.
- Les objectifs liés à la participation bénévole sont évalués régulièrement par le conseil d'administration.
- Les bénévoles sont invités à faire des commentaires à l'organisme au sujet de leur participation[14].

Bien entendu, les modalités de cette évaluation peuvent varier considérablement. Il appartient à chaque organisme de se doter des outils nécessaires pour évaluer avec objectivité et justesse le rendement de ses bénévoles.

NOTES

1. Nicole ROUSSEAU, Louise BERNARD, «Nouveau visage du bénévolat, nouveaux défis en soins palliatifs», *Les cahiers de soins palliatifs*, Québec, Les publications du Québec, 1999, vol. 1, n° 1, p. 37.

2. Cette recherche maison, entreprise sous la responsabilité de Mme Hélène Lockwell, chef du Service de bénévolat de l'Hôpital du Sacré-Cœur de Montréal, a fait l'objet d'un rapport en bonne et due forme en décembre 2006. La valeur représentative des résultats est indiscutable. En effet, 46 % des bénévoles de l'établissement, soit 73 répondants sur une possibilité de 160, ont participé à la recherche, ce qui permet de croire en une solide représentativité des personnes qui travaillent dans le milieu. C'est donc un portrait fort réaliste du bienfaiteur en milieu hospitalier.

3. Henri LAMOUREUX, «Le danger d'un détournement de sens. Portée et limites du bénévolat», *Nouvelles pratiques sociales*, 2002, vol. 15, n° 2, p. 83.

4. Gaël OCTAVIÀ, *Travailler pour la bonne cause, 100 conseils de pro s*, Paris, Groupe Express Éditions, 2005, p. 49-50.

5. Jacques T. GODBOUT, «Le bénévolat n'est pas un produit», *Nouvelles pratiques sociales*, Québec, PUQ, 2002, vol. 15, n° 2.

6. F. DUCHARME, «Aider les aidants» (en collaboration avec Johanne Tremblay, agente de communications), *Génération, Vivre vieux, vivre mieux*, Fondation Institut de gériatrie de Montréal, hiver/printemps 2007, p. 8-9.

7. Pierre RILEY, «Les enjeux de l'action bénévole», conférence prononcée le 18 juin 2004, lors de l'assemblée annuelle de la Table régionale des organismes communautaires Chaudière-Appalaches.

8. FONDATION PALLIAMI, *Manuel des bénévoles*, Programme de formation destiné à des bénévoles en soins palliatifs, Montréal, 2006, p. 41.

9. BÉNÉVOLES CANADA, «Le bénévolat chez les adultes plus âgés: Bénévolat et santé des aînés», [en ligne]. [http://new.volunteer.ca/fr/volcan/older-adults/canada_adults_report7] (20 juin 2007)

10. Jacques T. GODBOUT, *op. cit.*

11. Pierre RILEY, «Rémunérer les bénévoles…», *Bénévol'Action*, février 2006, p. 2-3.

12. *Ibid.*, p. 3.

13. Pierre RILEY, «Le salaire des bénévoles», *Bénévol'Action*, automne 2005, p. 5.

14. Bénévoles Canada, *Le code canadien du bénévolat*, Ottawa, ministère du Patrimoine canadien, 2006, p. 15.

CHAPITRE 3

Comment aider les autres

L'outil d'intervention le plus précieux du bénévole est sans aucun doute la relation d'aide. En effet, on sait qu'un minimum de moyens d'action est nécessaire pour entrer efficacement en communication avec les autres et que ces façons de faire ne sont pas toujours bien connues de ceux qui font de l'entraide. Un bénévole ne s'adressera pas de la même manière à des personnes âgées, à de jeunes malades, à des visiteurs de musée, à des moribonds ou à des membres d'une association sportive. La relation d'aide exige que l'on s'adapte aux différentes clientèles afin d'être efficace.

On peut définir la relation d'aide comme une communication entre deux personnes, dans un climat de respect, en vue d'apporter un soutien moral et psychologique à celle qui éprouve des difficultés particulières. Pour Jean-Luc Hétu, psychologue, *c'est aider une personne à exprimer comment elle se sent, à comprendre pourquoi elle se sent ainsi et à explorer ce que cette compréhension de la situation implique pour elle à court et à moyen terme*[1]. Bien entendu, la personnalité de l'intervenant, son bagage culturel, son expérience de vie peuvent influencer beaucoup la nature des liens tissés avec les autres.

Pour les bénévoles, la relation d'aide est plus ponctuelle que formelle, dans la mesure où ils interviennent parfois pour un court laps de temps, bien que, dans certains cas, la relation peut s'établir plus solidement grâce à des visites répétitives. Plus souvent qu'autrement, la relation est informelle et situationnelle, répondant à un besoin immédiat. C'est toutefois différent pour l'accompagnement des mourants, qui exige souvent une présence plus soutenue.

L'ACCUEIL

Le premier contact avec une personne est primordial. On peut manifester notre arrivée en frappant à la porte, s'il y a lieu, en saluant ensuite la personne par son nom et en établissant dès lors un contact visuel. D'après Jean-Luc Hétu, dans la culture nord-américaine, lorsqu'on regarde délicatement quelqu'un dans les yeux, on reconnaît sa valeur comme personne humaine. En regardant la personne dans les yeux, on traduit le sentiment de valeur personnelle qu'on accorde à l'autre, qui peut parfois souffrir d'une faible estime de soi en raison de certaines circonstances. Par le contact visuel, le bénévole lui dit : « Je suis avec vous. Je suis en mesure de vous écouter. »

Il faut manifester de la courtoisie, une attitude dégagée empreinte d'ouverture d'esprit, de la disponibilité ainsi que du respect pour établir un bon début de relation. L'intensité de la présence demeure fondamentale. C'est une façon d'accorder de l'importance à la personne aidée, ce qui montre l'attention et la concentration du bénévole.

L'aidant doit tout de suite se mettre à l'écoute de l'autre en évitant de le bousculer par des questions et accepter qu'il soit plus ou moins confus et qu'il ait des ennuis à s'exprimer convenablement. On lui demande alors s'il a besoin d'aide ou si on peut lui rendre service. Un inconnu rencontré une première fois n'est pas toujours prêt à parler de lui facilement ou à nous confier une part intime de lui-même. Le temps est un facteur primordial dans la construction d'une relation avec les autres.

Il arrive aussi que le bénévole ne soit pas bien reçu lors de ses visites. Pour diverses raisons parfois difficiles à expliquer, la personne est rébarbative au contact et refuse toute conversation. Des événements récents la rendent peut-être malheureuse et peu réceptive. Il faut alors quitter discrètement ; la prochaine fois sera peut-être la bonne ! Les relations interpersonnelles sont complexes et l'on ne doit pas se culpabiliser face à un échec relatif.

ÊTRE AUTHENTIQUE

Carl Rogers, auteur de l'approche centrée sur la personne et de la notion de non-directivité dans la relation d'aide, propose trois concepts essentiels en psychologie de la communication, transposables avec un minimum d'effort dans le comportement d'un bénévole. Ce sont la congruence, l'empathie et l'acceptation inconditionnelle d'autrui.

Carl Rogers insiste beaucoup sur le fait d'être vrai, simple, sans masque avec les autres, si l'on veut que notre communication soit efficace. L'aidant doit se montrer spontané dans sa conversation et s'exprimer ouvertement en accord avec ses sentiments et sa pensée. C'est la congruence. *Je n'ai jamais trouvé utile ni efficace*, écrit-il, *dans mes rapports avec autrui, d'essayer de maintenir une façade, d'agir d'une certaine façon à la surface, alors que j'éprouve au fond quelque chose de tout à fait différent.*

La congruence est un facteur crucial pour construire la fiabilité et la confiance chez l'interlocuteur. C'est un état d'être qui est lié à la transparence et qui se manifeste par l'intonation, le débit, le volume de la voix et le langage non verbal, tous des éléments qui traduisent des émotions et des pensées réelles, souvent à l'insu de l'aidant. « Est-ce que je m'exprime et j'agis de façon à communiquer à l'autre l'image de ce que je suis ? » Question de base de l'authenticité. La congruence n'est pas facile à mesurer, mais elle a un effet déterminant dans la relation d'aide. Par une réflexion sur son attitude et avec l'expérience, le bénévole peut apprendre à être de plus en plus vrai avec les autres.

L'EMPATHIE

Vous circulez en voiture et, soudainement, vous apercevez une dame qui trébuche sur le trottoir. Vous ne pouvez vous empêcher de penser : « Pauvre femme, s'est-elle blessée ? » Si personne n'intervient, vous vous arrêterez sans doute pour lui venir en aide. Bel exemple d'empathie : vous éprouvez des émotions à la suite de la situation malheureuse d'une étrangère. On peut affirmer que l'empathie en général est intimement liée à nos rapports sociaux, parce qu'elle nous incite à l'entraide et à la collaboration.

Dans la perspective de la relation d'aide, l'empathie est constituée d'un ensemble d'aptitudes spécifiques que décrit très bien le psychologue Jean-Luc Hétu :

- Aptitude à déceler chez l'aidé des signaux plus ou moins faibles de différents états émotifs comme la peur, le regret, la colère, la culpabilité, la tristesse ;
- Aptitude à utiliser ses propres réactions intérieures pour comprendre le vécu de l'aidé. Ce que l'aidé vit et exprime, d'une façon verbale ou non verbale, vient se répercuter chez l'aidant, ne fût-ce que faiblement ;
- Aptitude à dégager le sens du vécu de l'aidé en se plaçant dans son cadre de référence à lui. Par exemple, une aidée réagit fortement à une grossesse qui va l'obliger à renoncer à la promotion dont elle rêvait depuis longtemps ;

- Aptitude, enfin, à trouver les mots appropriés pour communiquer, d'une façon claire et brève, à l'aidé ce qu'on a saisi de ce qu'il vit[2].

L'empathie est un processus par lequel le praticien tente d'oublier son propre univers de référence sans perdre contact avec lui-même, pour se centrer sur ce que vit la personne, réaction différente de la sympathie. Comme le soulignait si bien Mme Johanne Béland, chef du Service des bénévoles de l'Hôpital Maisonneuve-Rosemont, la sympathie permet de se mettre dans la peau de l'autre et de vivre les émotions à sa place ; ce sentiment chez le bénévole est nettement à déconseiller, car s'il se sent envahi par la tristesse et la souffrance de l'autre, il n'est alors plus capable d'écouter efficacement et il lui devient difficile d'exercer son rôle. L'empathie est plutôt cette capacité de s'identifier à quelqu'un, de percevoir ses sentiments et de le comprendre, tout en étant capable de conserver une distance face aux émotions ressenties. Le bénévole aura compris que cette attitude de respect et d'ouverture peut amener chez lui un sentiment de proximité et de compassion, ce qui favorise les bonnes relations humaines.

Dans son ouvrage, *Le pouvoir de l'empathie*, Arthur P. Ciaramicoli met en relief les bienfaits extraordinaires de l'empathie.

L'empathie est cette profonde compréhension que nous sommes en mesure d'avoir les uns des autres, la capacité de ressentir les émotions et de pénétrer les pensées, les idées, les intentions et les jugements d'autrui. L'empathie est ce qui nous relie ; elle nous aide à réfléchir avant d'agir, elle nous fait tendre la main à une personne qui souffre, elle nous apprend à utiliser notre raison pour faire contrepoids à nos émotions, enfin, elle suscite chez nous les idéaux les plus nobles auxquels un être humain puisse aspirer. [...] J'ai maintenant l'intime conviction que l'empathie, plus que toute autre faculté humaine, constitue l'élément clé d'une relation aimante ainsi que l'antidote à la solitude, à la peur, à l'angoisse et au désespoir qui en affectent tant parmi nous[3].

À la base de la communication humaine, fer de lance de la relation d'aide, l'attitude empathique constitue indéniablement une des plus belles qualités du bénévole. Pour conserver cette attitude, il doit se poser simplement les questions suivantes : « Qu'est-ce que la personne ressent actuellement ? » « Que veut-elle me dire avec ses mots ou ses expressions non verbales ? » Enfin, le bénévole doit quand même mettre une certaine distance entre son expérience de vie et le vécu de l'autre ; il doit tenter de ne pas se laisser submerger par les émotions personnelles qui surgissent...

• L'écoute active

Les fondements de l'empathie résident dans l'écoute active qui s'appuie sur une attention soutenue aux sentiments que la personne aidée éprouve ; l'écoute active exclut l'émotion propre à la sympathie et le jugement sous toutes ses formes. Il est toujours difficile d'accueillir le vécu émotionnel d'autrui, surtout lorsqu'il est empreint de considérations négatives. Dans le milieu des services sociaux où le personnel est souvent débordé, il n'est pas toujours facile d'être attentif à la clientèle. Dans un centre d'hébergement, le préposé aux patients qui passe outre à une résidente qui lui fait signe de s'arrêter n'est pas à l'écoute de la personne. Quand, à l'hôpital, l'infirmière ignore la patiente qui se dresse silencieusement dans son lit chaque fois qu'elle entre dans la chambre, c'est qu'elle ne sait pas écouter cette femme. Combien y a-t-il de personnes qui nous confient qu'elles ne sont pas écoutées par leurs proches ? Pourtant, le besoin d'être écouté est viscéral, parce que la communication est le propre des êtres humains.

Une recherche de Rankin[4] a établi que, dans une journée, 45 % du temps est consacré à écouter, 30 % à parler, 16 % à lire et 9 % à écrire. Nous passons ainsi plus de temps à écouter qu'à parler, d'où l'importance de privilégier une écoute de qualité. Dans la *Relation d'aide et amour de soi*, Colette Portelance traite avec beaucoup de pertinence de l'art d'écouter : *Écouter, c'est prendre le temps, par une présence attentive et chaleureuse, d'accueillir l'autre et de lui manifester une acceptation totale de ce qu'il est en laissant de côté ses propres préoccupations. [...] Il n'y a pas d'écoute s'il n'y a pas, de la part de l'intervenant, une présence active et chaleureuse et une grande capacité d'attention*[5]. Trop souvent, on écoute d'une oreille plus ou moins attentive en pensant ou en s'occupant à autre chose ; on attend la moindre occasion pour intervenir ou on coupe carrément la parole à l'interlocuteur.

Il est loin d'être facile d'écouter vraiment les autres ; voilà donc une qualité essentielle que tous les bénévoles devraient tâcher d'acquérir.

- **Le langage non verbal, les pleurs et le silence**

L'empathie peut s'exprimer de diverses manières, dont le langage non verbal, les pleurs ou même le silence. La personne peut en effet utiliser toutes sortes de moyens qui n'appartiennent pas au langage oral pour exprimer ses sentiments. Par son attitude physique et ses gestes, elle transmet ce qu'elle ne peut pas ou ne veut pas exprimer par des mots. Le bénévole doit savoir décoder cette communication non verbale. Le visage et le corps sont très souvent expressifs et il n'est pas rare de voir deux personnes échanger grâce à leur expression faciale ; les gestes des mains, le haussement des épaules, les signes de tête, le froncement des sourcils, la contraction des lèvres, le rougissement, le blêmissement, la posture ont parfois une signification qui ne laisse pas un observateur indifférent. Un visage triste accompagné d'une négation de la tête peut traduire le désarroi d'un grand malade. Une personne aphasique communique souvent sa satisfaction par un sourire et des yeux étincelants. Le langage du corps est criant de vérité : il est involontaire et inconscient. Plus spontané que la langue parlée, le langage non verbal mérite toute notre attention dans la relation d'aide.

Plus ou moins liés au langage verbal, les pleurs constituent une autre manifestation tout à fait normale, mais à laquelle nous n'avons pas été très habitués. Plus d'un se sent mal à l'aise ou déboussolé devant les pleurs de quelqu'un. C'est pourtant une situation fréquente en relation d'aide et le bénévole doit savoir comment réagir en de telles circonstances. Si la personne pleure abondamment, il vaut mieux laisser passer l'orage en demeurant disponible en silence, dans un contexte de compréhension. Les larmes expriment souvent de fortes émotions. Il est sûr qu'on doit chercher à comprendre les causes du chagrin. Est-ce du découragement, une volonté de lâcher prise, de la douleur, de la tristesse, de la peur, de la colère ? Lorsqu'il doit faire face à ce genre de situation parfois pénible, le bénévole doit alors s'avancer sur la pointe des pieds, avec délicatesse…

Attitude à moindre ouverture, le silence projette lui aussi sa signification et peut même être très éloquent. Dans la vie de tous les jours, le silence est embarrassant et mal toléré ; en relation d'aide, il est une forme de communication. Il appartient au bénévole d'en faire l'interprétation. S'agit-il d'un silence de réflexion qu'on serait malvenu de briser, d'un silence embarrassé, d'un silence improductif qui nécessite de l'aide, en reformulant par exemple la dernière intervention verbale de la personne ? *Le silence à écouter,* avoue Hélène Lazure, Ph. D., *c'est peut-être la peur ou la souffrance qui étouffent les mots dans la gorge ; le silence à écouter, c'est peut-être celui de la joie si intense que les mots pour l'exprimer en diminueraient la qualité. Le silence à écouter, c'est celui de la vie qui s'évanouit inexorablement, mais c'est aussi celui de la vie qui jaillit inlassablement*[6].

Le silence délibéré du bénévole est une manifestation d'empathie ; par une réaction non verbale, le bénévole dit à la personne : « J'écoute ce que vous me dites, j'accepte vos propos et je vous offre ces instants de silence pour que vous continuiez à me parler… » L'aidant peut s'exprimer à l'aide de quelques signes physionomiques comme un hochement de la tête ou un sourire. Un bénévole efficace devrait réduire ses interventions, écouter le plus possible, avoir recours fréquemment aux silences et laisser des espaces d'expression verbale à la personne aidée, tout en donnant un rythme à la rencontre.

Par ailleurs, le bénévole doit être en mesure de déceler la résistance, un phénomène souvent subtil. La personne aidée utilise alors des subterfuges en faisant de l'humour, en posant des questions, en parlant de généralités pour éviter les contacts authentiques. Le bénévole peut jouer le jeu jusqu'à un certain point; les raisons de la résistance vont de la peur du rejet au désir d'autonomie, en passant par une faible image de soi. La résistance indique surtout qu'il faut changer le sujet de la conversation… ou simplement quitter!

- **Le toucher**

Le toucher est un geste empathique que le bénévole peut employer à bon escient; il prédispose à la confiance et à l'entraide. Il faut toutefois s'en servir avec tact et délicatesse: bien des gens n'aiment pas se faire toucher. Et le toucher n'est pas toujours apprécié: ne dit-on pas «Jeux de mains, jeux de vilains!» Nous avons en mémoire cette confidence d'une résidente qui détestait se faire flatter ou se faire passer la main sur les épaules, surtout par les bénévoles. «Ils pourraient bien me ficher la paix!» La signification du toucher dépend beaucoup du vécu de chacun, de l'éducation et des interdits culturels. Des études ont démontré que ceux qui sont le plus mal à l'aise avec le contact tactile sont souvent ceux qui éprouvent des difficultés avec les autres moyens de communication; ils ont le moins confiance en eux[7].

La psychothérapeute Colette Portelance apporte des explications pertinentes: *[Malheureusement], l'éducation puritaine a banni le toucher de la relation, lui donnant une connotation négative à peu près exclusivement sexuelle. En supprimant le toucher, on supprime en grande partie le langage par excellence de l'amour et de la vie, le langage irrationnel et non verbal de l'inconscient.* Le bénévole doit donc être prudent quant à l'utilisation du contact physique. L'anthropologue américain Edward T. Hall décrit bien la notion de distance interpersonnelle qui montre où peut se situer la communication tactile[8].

Le toucher possède des bienfaits incontestables, particulièrement pour les personnes âgées souvent seules, pour ne pas dire isolées et abandonnées. C'est un moyen indispensable de contact humain; il permet de percevoir l'autre et d'être perçu par lui. Prendre la main d'une personne triste lui témoigne de la compréhension et permet de partager sa souffrance. Selon Monique Zambon, aide soignante en gériatrie au centre hospitalier intercommunal Castres-Mazamet,

> Le toucher est un acte de transformation du monde, sans lequel l'humanité n'existerait pas : la sensation tactile est un puissant moyen de communiquer qui est utilisé pour réduire les distances et relier les gens. Tout humain a un besoin vital de toucher et d'être touché. Le contact cutané, c'est l'organe des sens le plus durable et le plus profond : il apparaît précocement avant les autres et c'est le dernier à se détériorer dans le grand âge. Le toucher peut offrir une stimulation sensorielle, réduire l'anxiété, orienter la personne âgée vers la réalité, soulager la souffrance physique, affective et relève le moral tout au long de la vie. [...] Le toucher est la manifestation d'un sujet qui veut accueillir l'autre dans la transparence, dans le respect, la reconnaissance et la tendresse[9].

Le contact tactile exprime la dimension humaine de l'intervenant ; le message est puissant, car les gens savent immédiatement, lorsqu'on les touche, si vous vous préoccupez d'eux ou si vous tentez de les manipuler. Bref, être touché est très valorisé et toucher favorise le partage des sentiments comme l'intimité, la tendresse et la compréhension. Le contact physique stimule la bonne humeur, chasse la tristesse, réveille la joie de vivre et renouvelle l'énergie physique.

L'ACCEPTATION INCONDITIONNELLE D'AUTRUI

L'acceptation inconditionnelle d'autrui constitue un concept essentiel de la psychologie de la communication. L'expression a prêté le flanc à la critique : le terme « inconditionnelle » semblait un peu absolu et ne laissait guère de place à des nuances sémantiques. Il faut plutôt comprendre « acceptation avec beaucoup d'ouverture et de compréhension des autres ». Une sorte d'objectif à atteindre. La notion demeure fondamentale dans la mesure où la personne a besoin qu'on lui témoigne de la considération et de la confiance pour évoluer vers un mieux-être. L'intervenant doit accepter le sujet dans son cadre de référence, ses émotions, ses désirs, ses pensées, ses opinions, indépendamment de son bagage de vie et de ses expériences de tout acabit. C'est un point de départ primordial pour construire une relation d'aide bénéfique. On peut manifester son acceptation en aidant l'autre à rebâtir son image de soi et en l'amenant à s'accepter lui-même en dépit de la culpabilité, de la maladie, du peu d'instruction, etc.

Colette Portelance va plus loin : *Le jugement est le plus grand obstacle à l'accueil, à l'écoute et au changement. Comme nous sommes tous tributaires d'une éducation en grande partie basée sur le jugement et le regard extérieur, nous avons vite appris à porter sur nous-mêmes et les autres des jugements qui bloquent l'expression créatrice. [...] Développer cette façon remarquable de nous observer sans nous juger, c'est donc apprendre à accueillir les autres dans le respect total de ce qu'ils sont*[10]. Bien entendu, si la personne aidée est fort désagréable et est envahissante, le bénévole n'aura pas d'autre choix que d'écourter la relation. De la même manière, il n'est pas responsable du vécu, des problèmes et des attentes de l'autre. Bref, accepter les autres, c'est être chaleureusement présent, les écouter attentivement, pour qu'ils puissent se confier librement sans qu'ils soient interrompus par le jugement, la comparaison, les conseils ou la moralisation.

LES TECHNIQUES DE RELATION D'AIDE

Après avoir défini et précisé les concepts fondamentaux de la communication humaine, le bénévole doit se familiariser avec les techniques de base susceptibles de rendre ses interventions plus efficaces. La connaissance de ces techniques est évidemment un préalable à leur application dans un milieu de travail.

• Le reflet

Le reflet est un moyen par lequel le bénévole traduit à une personne les idées ou les sentiments qu'elle tente d'exprimer plus ou moins clairement. Le reflet est un effort pour clarifier, pour mieux déceler le message. En paraphrasant ce que vient de dire le sujet, le bénévole crée un effet de miroir. Cet exercice a son importance : il aide les personnes à découvrir et à avoir confiance en leurs sentiments et leur vécu. À une personne qui semble vouloir dire qu'elle est malheureuse, on pourrait utiliser les exemples de reflet suivants :

« Ah ! oui, c'est ce que vous ressentez… »

« Ce n'est pas drôle ce que vous vivez… »

« Ça doit vous atteindre sûrement… »

« Ah ! vraiment… »

« C'est quelque chose d'important… »

« C'est très difficile à vivre… »

« Quelle épreuve pour vous… »

Ce sont des phrases brèves, qui incitent la personne à continuer dans le même sens pour expliciter ses propos et reconnaître les choses exprimées. Le reflet lui permet également de mieux comprendre ce que signifient ses sentiments ou ses émotions : la peur est l'expression d'une menace ; la tristesse est souvent en rapport avec des fractures de l'âme ; la colère signale l'existence d'un obstacle ou d'une frustration ; la joie est liée à un événement heureux… Loin des jugements de valeur, le reflet peut rassurer la personne parce qu'il atténue les chocs et les drames de son vécu.

•   **La reformulation**

Très proche du reflet et y étant associée dans la pratique, la reformulation est une technique par laquelle l'intervenant tente de formuler les sentiments ou les émotions que le sujet éprouve pour l'aider à mieux se comprendre lui-même. Il s'agit d'un résumé qui regroupe les éléments essentiels exprimés par la personne : on reprend en ses propres mots, d'une manière brève et claire, des affirmations de la personne. La reformulation peut se faire après un court entretien pour manifester toute sa compréhension à l'autre. Bien sûr, à l'instar du reflet, la reformulation est centrée sur les sentiments[11] du sujet.

Pourquoi emploie-t-on habituellement la reformulation? Cette technique permet d'abord à l'intervenant de vérifier son propre niveau de perception du message de l'autre, afin de bien s'assurer de sa compréhension. Elle montre aussi à la personne aidée qu'elle est bien écoutée et, en reprenant ses propos avec concision, le praticien établit mieux les bases du message. « Si je vous comprends bien... », « En d'autres termes... » ou « Vous pensez que... » sont des formules stéréotypées qui amorcent bien une reformulation.

• **La question**

La question doit être maniée avec circonspection. Un trop grand nombre de questions posées pourrait faire croire à un véritable interrogatoire. Le bénévole doit d'ailleurs se rappeler que toute question posée n'obtiendra pas forcément de réponse, sous peine de violenter ou de blesser le sujet. Une réponse n'est jamais due en relation d'aide et elle est un privilège de la part d'une personne ; c'est une précieuse révélation dans la mesure où elle nous rapproche de son vécu profond.

Il existe plusieurs types de questions. La question ouverte (« Qu'est-ce que vous avez pensé de l'activité de cet après-midi ? ») invite à un développement plus ou moins long. « L'activité de cet après-midi vous a-t-elle plu ? », est un exemple de question fermée : on peut y répondre par un oui ou un non. La question à choix multiple comporte des choix de réponses : « L'activité de cet après-midi était-elle amusante, trop longue, bien organisée ou désagréable ? » Poser la question « Pourquoi ? » est délicat. C'est demander à quelqu'un de nous livrer exactement ce qu'il pense. Des auteurs prétendent qu'on devrait éviter le « pourquoi », qui est parfois pris pour une petite violence.

- **La focalisation**

Technique de mise en relief d'un sentiment, d'une situation ou d'une idée, la focalisation permet à la personne de concentrer son attention sur un point précis de la communication, afin d'en faire ressortir des éléments. Elle stimule le processus d'exploration et favorise la résolution de problèmes. La question ouverte demeure une des meilleures façons d'amener le sujet à explorer davantage le contenu de sa communication. Voici quelques questions qui mènent à la focalisation :

« Que se passe-t-il actuellement au sujet de… ? »

« Comment voyez-vous exactement l'affaire de… ? »

« Qu'est-ce que vous pensez de… ? »

« Croyez-vous être capable d'en arriver à… ? »

« Qu'est-ce que ça vous fait au juste… ? »

« Comment expliquer le fait que… ? »

« Qu'est-ce que vous espérez de… ? »

« Qu'est-ce que vous retenez… ? »

« Comment voyez-vous la solution à… ? »

Comme le souligne si bien Jean-Luc Hétu[12], la focalisation permet de mettre un terme aux propos non productifs de la personne, délimite mieux ses émotions, l'invite à résumer sa pensée et à trouver des éléments de solution.

- **Le soutien**

Voici une dernière technique que les bénévoles devraient largement utiliser, puisque leurs moments de contact avec les personnes sont souvent brefs et passagers. Les façons de soutenir les autres sont variables et les exemples suivants l'illustrent bien.

« Vous êtes persévérante, continuez, ça ira mieux ! »

« La patience dans les malheurs est souvent récompensée. »

« Quand on est malade, on a souvent les émotions à fleur de peau, c'est compréhensible ! »

« Ne vous en faites pas avec vos réactions, elles sont bien normales. »

« J'en suis sûr, vous avez raison ! »

« Ne lâchez surtout pas, toute rémission est possible. »

« Profitez bien de votre journée, ce sera agréable. »

« La maladie, c'est souvent passager... Après la pluie, le beau temps ! »

L'écoute active, le reflet, la reformulation, le contact visuel, l'approbation sont évidemment des formes de soutien implicite. Et les bénévoles sont souvent gratifiés d'un sourire ou d'une observation heureuse quand ils manifestent du soutien à ceux qu'ils aident.

On l'aura constaté, l'application des connaissances en relation d'aide constitue la pierre angulaire sur laquelle se construisent la plupart des interventions du bénévole. Ce savoir-faire pourra facilement se concrétiser dans son travail avec le temps et l'expérience, encore faut-il qu'il soit bien conscient de sa manière de converser avec les gens. Nous nous en voudrions de ne pas clore ce chapitre avec ces mots : *Les vrais aidants*, écrit Colette Portelance, *ne sont pas des techniciens ni des théoriciens, mais des psychothérapeutes dans l'âme qui aident les autres surtout par l'influence inconsciente de ce qu'ils sont*[13]. Et cette façon d'être, en plus des qualités de cœur et d'esprit, sous-entend des habiletés en communication humaine.

La philosophie du *caring*

Depuis quelques années, les centres hospitaliers s'efforcent de mettre en place une nouvelle approche auprès des malades. C'est la philosophie du « *caring* », qui repose avant tout sur la dimension humaine des soins, inséparable d'un soutien moral apporté au malade et à ses proches. Les bénévoles se doivent de savoir en quoi consiste cette philosophie.

L'on doit en grande partie la théorie du *caring* à Jean Watson, Ph. D., infirmière qui a enseigné à l'Université du Colorado et a occupé la fonction de doyenne de l'École des sciences infirmières. Elle définit ainsi le *caring*: *Engagement et idéal moral, dans le but de préserver et respecter la dignité humaine et promouvoir la santé et le développement de la personne.* Sa philosophie du *caring* est à la base du programme de baccalauréat en sciences infirmières de l'Université de Montréal.

La croissance, l'authenticité, la compétence, le calme, la patience, la dignité humaine, le respect, l'engagement, la compassion, la liberté de choix, la réciprocité, telles sont les valeurs associées au *caring*. Cette philosophie dépasse le concept de « prendre soin de », pour intégrer les notions de « être préoccupé par », « s'intéresser à », « être empathique », etc. La personne qui pratique le *caring* considère que la personne-famille est un tout en interaction constante avec les autres et son milieu. Elle agit selon ses capacités, ses valeurs, sa culture et ses diverses expériences; autonome, elle est ouverte à l'apprentissage, tout en visant à l'équilibre et l'harmonie pour elle-même et son entourage. Le *caring* reconnaît la personne-famille dans toute son intégrité par le biais de relations humaines où la personne, la famille, l'infirmière et le personnel collaborent au processus des soins.

Il faut bien reconnaître que les soins infirmiers sont d'une nature fort relationnelle et le *caring* vient justement renforcer cet aspect de l'intervention en milieu de santé. La philosophie du *caring* va absolument dans le sens de la tâche des bénévoles. Ceux-ci ne sont-ils pas avant tout des agents de relations humaines, des personnes qui manifestent une présence et de l'écoute aux malades et à leurs proches?

L'ACCOMPAGNEMENT

L'accompagnement des malades est avant tout un cheminement qui se démarque de toute forme d'intervention, de thérapie ou de conversion dans la mesure où il n'impose pas de changement en soi.

En cette fin de juillet, la canicule est bien installée depuis quelques jours. Dans la chambre sans climatisation, la chaleur atteint un point culminant. La patiente est étendue dans son lit, le regard fixe, le visage trempé... Je me présente et lui explique brièvement que je suis bénévole... Lentement, elle me dit : « J'ai un cancer au cerveau... mes chances de rémission sont nulles ! » D'un hochement de la tête, j'acquiesce et lui demande si elle souffre. « Non, répond-elle, on me donne du Dilaudid. » Elle me raconte le calvaire enduré depuis cinq ans : révolte face à la maladie, désarroi de son mari, souffrance morale de sa fille, traitements à l'hôpital, inquiétude profonde... Après avoir écouté son témoignage émouvant, je lui offre mes services et lui demande si elle désire de l'eau froide ; elle refuse. Je sens qu'elle est très fatiguée, je ne devrais pas prolonger la rencontre. Elle accepte une débarbouillette mouillée pour se rafraîchir le visage. Puis, en la quittant, je lui dis que je penserai à elle et que je reviendrai la voir.

Selon *Le Petit Robert*, accompagner, c'est *se joindre à quelqu'un pour aller où il va en même temps que lui*. Rien n'est directif, contraignant ou autoritaire dans l'accompagnement. Denise Badaud décrit bien ce phénomène de communication particulière.

Accompagner l'autre, c'est lui être sensoriellement présent : le regarder, le sentir, être attentif aux sons qui émanent de sa vie, et faire en sorte de discerner la bonne distance, c'est-à-dire celle qui est souhaitée respectivement par l'accompagné et l'accompagnant. [...] Accompagner l'autre, c'est l'apprivoiser, créer des liens ; c'est cheminer à côté, partager sans penser se confondre. C'est faire en sorte que la vie actuelle de celui qu'on accompagne soit, dans la mesure du possible, en continuité avec la vie qu'il menait avant sa maladie. Accompagner, c'est savoir marcher au rythme de l'autre, le temps nécessaire et dans l'espace qui est dévolu, tout en gardant son rythme propre. Mais l'accompagnement tout comme l'apprivoisement a ses exigences dont la première et non la moindre est sans contredit de laisser la personne que l'on accompagne mener le jeu, juger de son bien-être, de son confort, du type d'accompagnement qu'elle veut vivre. On veillera aussi : à faire en sorte que la dépendance ne soit pas chose humiliante ; à être entièrement avec l'autre, c'est-à-dire à être proche sans se confondre avec lui ; à se mettre à l'écoute des souffrances, physiques et morales, des espoirs, des peurs, des angoisses, des incertitudes, des difficultés à vivre la maladie, l'épreuve, la perte matérielle, la perte d'autonomie, mais aussi à l'écoute du courage, de la générosité, de la détermination, de la solidarité, de la confiance… ; à ne pas se formaliser des paroles vives, des gestes d'impatience ou d'irritabilité, des mouvements d'agressivité ou de colère, du déni, de la tristesse…[14]

Tous les éléments essentiels de l'accompagnement se trouvent dans cet extrait important : la présence à l'autre, l'écoute, le respect de l'autre, l'adaptation à son rythme de fonctionnement ainsi que la reconnaissance du malade dans toute son intégrité et son individualité.

Le bénévolat d'accompagnement dans le secteur de la santé exige une compassion, une sensibilité et une empathie hors du commun. En effet, le bénévole est le compagnon de route des malades qui vivent une étape difficile de leur vie ; il est quelqu'un à la rencontre de l'autre qui traverse une crise majeure de son existence avec tout ce que cela comporte de charge émotive. En contact souvent avec de grands malades, quand ce ne sont pas des patients en fin de vie, ses interventions nécessitent une qualité d'écoute et de présence qui permet à l'autre de se confier, de dire son inquiétude, ses préoccupations et sa souffrance. Plus d'une fois, la sollicitude fait alors contrepoids à la solitude. Et les menus services sont toujours appréciés : un verre d'eau fraîche en pleine canicule, une promenade accompagnée à l'extérieur, une débarbouillette trempée appliquée sur le visage, etc.

Le bénévole apporte ainsi au climat hospitalier ce supplément d'âme dont parlait le philosophe Bergson. Bien entendu, il doit faire preuve de diplomatie et de discrétion auprès du personnel soignant, pour bien montrer qu'il n'est pas là pour le remplacer. L'accompagnement des bénévoles constitue à n'en pas douter une admirable action humanitaire et une dimension fondamentale des soins de santé.

NOTES

1. Jean-Luc HÉTU, *La relation d'aide, Éléments de base et guide de perfectionnement*, 3ᵉ éd., Boucherville, Gaëtan Morin Éditeur Ltée, 2000.
2. Jean-Luc HÉTU, *ibid.*, p. 5.
3. Arthur P. CIARAMICOLI, *Le pouvoir de l'empathie*, Montréal, Les Éditions de l'Homme, 2000, p. 21-22.
4. Paul T. RANKIN, « The Importance of Listening Ability », *The English Journal*, vol. 17, nᵒ 8, octobre 1928, p. 623-630.
5. Colette PORTELANCE, *Relation d'aide et amour de soi*, 2ᵉ éd., Montréal, Les éditions du Cram, 1991, p. 95.
6. Hélène Lazure est une ex-professeure agrégée de la faculté des sciences infirmières de l'Université de Montréal.
7. Joyce NEWMAN GIGER et Ruth Elaine DAVIDHIZAR, *Soins infirmiers interculturels. Recueil des données et action de soins*, Boucherville, Gaëtan Morin éditeur, 1991, cité dans « Le toucher et les cris répétitifs » [en ligne]. [http://membres.lycos.fr/papidoc/26crirepetitif.html] (23 mai 2007)
8. Pour E.T. HALL, la distance interpersonnelle, ou bulles d'espace, s'établit ainsi :
   A. Distance intime, 0 à 45 cm : espace des personnes très proches ; affection, protection ou agression, tous les sens sont impliqués ; le toucher entre dans cette zone.
   B. Distance personnelle, 45 cm à 1,20 m : bulle d'espace de la conversation qui permet aux gens de bien s'entendre, de se voir et où le contact de la main est possible.
   C. Distance sociale, 1,20 m à 3,50 m : espace des gens qui ne se connaissent pas ou peu ; la distance assurée par la table ou un bureau, par exemple, et qui interdit les contacts physiques.

D. Distance publique, plus de 3,50 m : bulle d'espace lorsqu'on est en public ; c'est l'espace qui sépare un groupe ou un auditoire d'un interlocuteur. Il faut observer le comportement des gens dans le métro ou l'ascenseur : à chaque fois que quelqu'un entre, les personnes semblent vouloir se faire plus petites pour éviter le contact avec le voisin ou pour protéger leur territoire.

Pour mettre son interlocuteur à l'aise, il importe de respecter ces bulles d'espace, de garder la bonne distance pour ne pas empiéter sur le territoire de l'autre.

9. Monique ZAMBON, « Le temps des soins relationnels » [en ligne]. [www.membreslycos.fr/papidoc/34parolemains.html] (10 août 2006).

10. Colette PORTELANCE, *op. cit.*, p. 19.

11. En relation d'aide, on reconnaît généralement six émotions ou sentiments de base. Ce sont :
    - La peur (inquiet, méfiant, soupçonneux)
    - La tristesse (abattu, peiné, découragé)
    - La colère (frustré, agressif, insatisfait)
    - Le dégoût (déçu, écœuré, blasé)
    - La surprise (étonné, saisi, déconcerté)
    - La joie (satisfait, content, heureux).

12. Jean-Luc HÉTU, *op. cit.*

13. Colette PORTELANCE, *op. cit.*

14. Denise BADEAU, « De l'intimité corporelle dans l'accompagnement », *Frontières*, vol. 17, n° 1, automne 2004, p. 64 et 66. Cette longue citation dit à peu près tout de l'accompagnement ; le bénévole aura donc grand intérêt à y réfléchir pour en saisir les multiples dimensions.

CHAPITRE 4

Accompagner les malades

DE LA MALADIE

Le bénévole œuvrant dans le secteur de la santé se doit d'avoir réfléchi au concept de la maladie pour être en mesure d'intervenir efficace-ment auprès des usagers. En effet, atteint d'une maladie grave, l'être humain prend conscience de sa grande vulnérabilité. La maladie met temporairement un terme au travail et aux activités quotidiennes qui nous occupent si bien ; elle constitue une crise émotionnelle, souvent intense, mais qui sera transitoire si elle est bien gérée. Qu'il soit notaire, ouvrier, psychologue, ingénieur ou technicien, l'individu en attente de résultats d'examen, de soins particuliers ou d'une chirurgie devient un malade. Des conflits non résolus, des craintes ou des frustrations mal liquidées peuvent alors resurgir et mener à des régressions. Un malade hospitalisé, alité ou se promenant en jaquette est parfois dépersonnalisé et perd beaucoup de ses moyens. Plus la maladie est longue, plus la dévalorisation opère et l'estime de soi peut en subir des contrecoups sévères.

Nous n'insisterons pas sur la signification de la maladie, ni sur son pourquoi. Bien sûr, tout le monde sait que la santé réside avant tout dans les bonnes habitudes de vie. Elle est un état de conscience, une lucidité envers la vie et une harmonie avec soi et les autres ainsi qu'avec la société en général. La santé est un sentiment de bien-être marqué au coin de l'équilibre, qui se répercute dans toutes les dimensions de la personne.

La maladie, elle, demeure une rupture de l'harmonie. Elle découle souvent d'une manifestation de la manière d'être au monde. Les mauvaises relations familiales, un stress mal géré, des inquiétudes, les abus alimentaires, la malbouffe, le tabagisme, la sédentarité, tels sont des facteurs qui pèsent lourd dans le développement des pathologies. La maladie constitue parfois un signal: il faut s'arrêter, réfléchir à ses comportements, demander de l'aide et, s'il le faut, changer de cap.

LE MALADE ET SES TYPES DE PERSONNALITÉ

Dans la foulée des recherches en psychiatrie, en vue d'une meilleure intégration de la médecine générale et des sciences humaines, le milieu médical en est arrivé à établir un certain nombre de caractéristiques ou d'attitudes communes chez les gens malades pour aboutir à un concept de structure des personnalités. Bien entendu, le tempérament, le caractère de la personne, ses façons d'agir avant la maladie ont forcément un lien avec sa personnalité de «malade». Ces personnalités n'ont rien de pathologique à vraiment parler, elles relèvent plutôt d'un concours de circonstances et leur développement survient chez tout individu aux prises avec une situation stressante. Il existe sept types de personnalité[1] : les personnalités dépendante, ordonnée, dramatisante, masochiste, critiqueuse, dominante et distante.

L'équipe interdisciplinaire des centres de santé doit se montrer prudente dans l'usage de cette classification clinique. Les sept catégories de personnalités ne représentent pas, répétons-le, des troubles d'ordre pathologique puisque la psychologie et le fonctionnement de ces personnalités sont normaux. La classification fournit tout au plus des repères pour mieux comprendre le comportement des patients et leur aider dans leur cheminement pour recouvrer la santé.

- **La personnalité dépendante**

Cet individu s'en remet totalement au personnel médical. Il attend beaucoup du milieu et veut que toutes ses demandes soient satisfaites ; fixations à la phase orale, diraient les psychiatres. Il devient frustré si l'on ne répond pas rapidement à ses attentes, d'où l'expression de fortes colères ou de réactions dépressives ou désespérées. Pour ce patient, la nourriture, les médicaments et les soins prodigués correspondent au besoin d'être aimé.

L'anxiété provoquée par la maladie semble se transformer en des besoins de soins quasi illimités, joints à une peur viscérale d'être abandonné, sans aucun recours. La pathologie devient alors une régression vers un comportement infantile exigeant attention, confort et sécurité. La mise en place de limites de la part du personnel infirmier doit être présentée avec circonspection et explications, pour éviter les sentiments d'impatience ou de punition.

- **La personnalité ordonnée**

Les attitudes de ces gens rejoignent jusqu'à un certain point la famille des troubles obsessifs compulsifs. Bien mis, ponctuel, consciencieux, préoccupé par l'ordre et la discipline, le patient tentera de surmonter sa situation de stress en allant chercher le plus d'informations possible à propos de sa maladie. D'une grande rationalité, il établit des procédures pour tout ce qu'il fait et réagit souvent avec obstination.

Pour ces gens, la maladie constitue une perte de contrôle dans leur vie. Ils vont compenser par une intensification de la rigueur et du comportement formalisé qui donne l'impression d'un entêtement et d'un manque de souplesse. Le désir du contrôle intellectuel et le besoin de bien comprendre leur pathologie créent parfois chez eux des hésitations, des doutes et une incapacité à prendre des décisions. Ils tiennent en haute estime l'approche médicale scientifique, systématique et rationnelle ainsi que la courtoisie et le dévouement du personnel hospitalier.

- **La personnalité dramatisante**

Besoins intenses d'être remarqué et admiré chez ce patient à la recherche de bonnes relations avec le médecin et le personnel de l'hôpital. Vivant, coloré, à l'affût du regard des autres, il peut être imaginatif, exhibitionniste ou comédien. Il tente aussi de fuir les situations angoissantes. L'équipe soignante et bénévole peut être charmée ou fascinée par la personnalité dramatisante.

La maladie apparaît comme une tare personnelle, voire une punition pour ce type de personne. C'est pour elle une preuve de faiblesse et d'insuccès. La personnalité dramatisante craint les atteintes physiques ou la perte de ses attraits. Apparaissent parfois des tentatives de séduction à l'endroit du personnel hospitalier. La lutte contre l'anxiété peut aussi susciter des efforts pour solliciter l'admiration; des performances théâtrales visent à attirer l'attention. Leur comportement peut aussi devenir paradoxal par des attitudes soudainement indifférentes. Des explications rassurantes, de bons soins et la ventilation de leurs peurs peuvent contribuer à calmer ces gens.

- **La personnalité masochiste**

Marquée par les mauvaises expériences de vie, les échecs, les insuccès, la maladie et les souffrances, cette personne croit avant tout au mauvais sort et à la malchance. Selon certaines études, quand on analyse bien son histoire de vie, ce patient crée souvent ses propres malheurs en se plaçant lui-même dans des situations difficiles ou en adoptant des comportements à risques. Syndrome de la victimisation, il a tendance à exhiber ses malheurs, ce qui attire la sympathie des autres mais peut aussi provoquer de la gêne. Il manifeste un goût pour la douleur et les mauvais coups du sort et se plaît dans la souffrance et l'autosacrifice. Une éducation sévère et répressive accompagnée de culpabilisation, sans possibilité d'exprimer sa colère, des punitions physiques, source parfois d'excitation teintée de plaisir, pourrait expliquer le comportement masochiste.

Les conséquences de la maladie – angoisse, souffrance, désarroi, crainte de la mort – peuvent amener le sentiment d'être martyrisé. Aussi est-ce la voie pour obtenir de l'attention, de bons soins et de l'amour. « Vous devez m'aimer, car je souffre tellement ! » Mais quand on veut aider ou soulager ces gens, le personnel infirmier se rend compte qu'ils luttent contre les encouragements ou les améliorations. Ils négligent les progrès de la guérison et accentuent les aspects de la maladie. Le médecin doit donc intervenir pour faire prendre conscience à ces patients de leur comportement, qui constitue une entrave au retour la santé.

- **La personnalité critiqueuse**

Le malade aux prises avec ce type de personnalité a les yeux rivés sur les autres. Il est à tendance paranoïde. Soupçonneux des intentions de ceux qui l'entourent, il est toujours prêt à les blâmer ou à critiquer leur façon d'agir. Pessimiste, il est très sensible à toute inattention ou à toute remarque plus ou moins négative des autres qui peuvent apparaître souvent comme méchants et détestables.

Ce sont les autres qui sont responsables de la maladie de la personne critiqueuse et, durant cette épreuve, elle s'attend à ce qu'on l'agresse davantage. Son insatisfaction et ses colères peuvent être à la hausse. Elle s'attaque à la qualité des repas, à la malpropreté supposée de sa chambre, à la lenteur des services et au manque d'égards à son endroit. Pour aider ces personnes, il faut comprendre leur comportement, reconnaître leur perception particulière des choses et des êtres, tout en leur demandant tolérance et coopération.

- **La personnalité dominante**

La personne dominante est narcissique. Dans la mythologie grecque, d'une grande beauté et tout imbu de lui-même, Narcisse s'est noyé en s'admirant dans les reflets d'une fontaine. Ce type de patient se croit très important et doté d'un grand pouvoir. Arrogant, hautain, il peut facilement s'écouter parler. Se sentant supérieur, il tient à surpasser tous les autres.

Pour ce malade, la maladie représente une menace à son image et à son caractère invulnérable. Son comportement dominateur risque de s'amplifier au cours de la maladie. Le personnel hospitalier et le médecin en particulier doivent jouer le jeu jusqu'à un certain point et reconnaître les traits de caractère les plus acceptables de la personne dominante pour renforcer son sentiment de sécurité et le rendre plus à l'aise dans ses relations humaines.

- **La personnalité distante**

C'est un peu comme si la maladie ne concernait pas le patient du type de personnalité distante. L'événement ne semble pas avoir de prise sur ce malade, dont l'attitude paraît quelque peu schizoïde. Tranquille, reclus, peu sociable, il demeure indépendant du besoin de liens affectifs et peu impressionnable ; les relations interpersonnelles l'intéressent peu. Souvent, ce peut être une façade qui cache de la fragilité, de l'hypersensibilité et une capacité faible d'adaptation.

La personne distante veut demeurer imperméable aux influences de la vie et, bien entendu, à la pathologie qui perturbe son équilibre. Son caractère antisocial doit être pris en compte et il importe de lui manifester un intérêt discret, avec calme et assurance, sans lui demander quoi que ce soit.

LA CLIENTÈLE EN ONCOLOGIE

On apprenait, en janvier 2005, que le cancer était devenu la première cause de mortalité chez les Américains ; à la mi-avril de la même année, Radio-Canada annonçait que le cancer était désormais en tête de liste des maladies meurtrières au Québec. Le cancer prenait ainsi la place de la maladie cardiaque.

Selon les *Statistiques canadiennes sur le cancer 2006*, on estimait que 153 100 nouveaux cas de cancer et 70 400 décès causés par cette maladie surviendraient au Canada en 2006. Au Québec, c'est 38 300 nouveaux cas pour 19 100 décès. L'augmentation des nouveaux cas est principalement attribuable à la croissance démographique et au vieillissement de la population : 43 % des nouveaux cas de cancer et 60 % des décès provoqués par la maladie se produisent chez les personnes de soixante-dix ans et plus.

Les données pour l'année 2007 ne sont guère réjouissantes. La Société canadienne du cancer parle même d'une véritable crise ! Une hausse importante est signalée au Canada ; au Québec, on prévoit 2 700 cas et 400 décès de plus qu'en 2006. Le vieillissement de la population, encore une fois, explique en partie cette hausse. Les données montrent, de plus, que les chances de survie à un cancer sont moindres au Québec qu'ailleurs au Canada. Le Québec doit se doter de toute urgence d'une stratégie forte et efficace qui implique tous les intervenants dans la lutte contre le cancer.

Le nombre total de cas du cancer du poumon, hommes et femmes confondus, dépasse le nombre de cas de cancer de la prostate et le nombre de cas de cancer du sein. Dans l'ensemble, le cancer colorectal constitue la deuxième cause de mortalité par cancer. L'incidence du cancer progresserait de 3 % annuellement.

Trêve de statistiques : le cancer est la grande maladie dégénérative de nos sociétés postindustrielles. Personne n'est à l'abri, même si nous sommes étonnés parfois de constater que le personnel soignant est également atteint. Aussi est-ce le branle-bas de combat dans le milieu hospitalier et les centres de lutte contre le cancer. Il va sans dire que les bénévoles sont souvent proches de cette clientèle en oncologie.

Pour répondre le mieux possible aux besoins des patients, le ministère de la Santé et des Services sociaux a mis au point le concept des équipes interdisciplinaires en oncologie. Les principaux éléments de cette approche sont :

- Un accès à des services de qualité qui sont proches du milieu de vie ;

- Des délais d'attente le plus court possible ;

- Du soutien dès l'annonce du diagnostic ;

- Une information juste et compréhensible ainsi qu'une bonne communication (qualité d'écoute des soignants) ;

- Une prise en compte de la douleur au moment de la « prise en soins » ;

- Une reconnaissance des coûts de la maladie pour la personne malade et sa famille ;

- Un accès à des soins palliatifs de fin de vie ;

- Une collaboration avec le secteur bénévole et communautaire[2].

L'approche interdisciplinaire permet de regrouper des intervenants qui ont une formation, une compétence et des expériences diverses au profit d'une meilleure compréhension du malade et d'une grande qualité des services. Elle constitue une façon d'atténuer les risques de cloisonner les soins et les services en raison de la surspécialisation du travail médical et infirmier. Le Conseil canadien d'agrément (CCA), qui évalue et qui accrédite les hôpitaux du Québec, et le ministère de la Santé et des Services sociaux en ont d'ailleurs déjà fait un critère d'accréditation. La promotion de l'interdisciplinarité comme standard provincial de pratique en oncologie devient donc urgente.

Les bénévoles sont bien au fait de la situation, surtout ceux qui travaillent dans les unités d'hémato-oncologie ou de soins palliatifs. Il leur arrive souvent de recevoir les confidences des malades et de les encourager dans leur cheminement souvent pénible. La personne qui reçoit un diagnostic de cancer est littéralement abasourdie. Elle perçoit alors que sa vie est menacée et que le temps n'a plus la même valeur, que ses jours peuvent être comptés. Le malade et ses proches peuvent vivre une profonde détresse. Tout le monde sait que les traitements médicaux comporteront des effets indésirables et la plupart des personnes voudront s'impliquer dans la thérapie.

Je déambule lentement dans le corridor où attendent, assises ou debout, plusieurs personnes que je salue et avec qui j'échange. Dans la clinique ambulatoire, couchés ou bien calés dans des fauteuils, des malades reçoivent des transfusions de produits sanguins ou des médicaments de chimiothérapie. Certains acceptent un verre d'eau ou un café et me remercient avec un sourire. Rarement impatients, la plupart de ces gens affichent une grande résignation.

Quand j'ai commencé à exercer mon bénévolat, il y a quelques années, je ne savais vraiment pas à quoi m'attendre. J'imaginais, par exemple, que les personnes atteintes d'un cancer pouvaient parfois se laisser aller à des crises de larmes ou de désespoir. Bien sûr, des larmes sont souvent versées... mais point d'éclat!

C'est comme si ces grands malades en étaient arrivés à une autre phase de leur vie. Sans doute ont-ils réagi avec colère ou détresse lorsque le diagnostic de pathologie grave a été prononcé. Sans doute ont-ils éprouvé beaucoup de chagrin devant un pronostic de maladie plus ou moins incurable. Ces personnes ont également réfléchi, à coup sûr, à la mort, peut-être dans un contexte de désespérance.

LES RÉACTIONS POSSIBLES

- **La résignation**

Jean-Paul Sartre a déjà écrit que la vie commençait de l'autre côté du désespoir. À quoi bon pleurer, s'emporter, vociférer, déprimer ? Ne faut-il pas plutôt accepter tout bonnement ce que la vie nous laisse sur son passage ? Et, indubitablement, chez un grand nombre de patients, la résignation est le sentiment le plus répandu, du moins dans ce qu'on laisse paraître dans le langage gestuel et les mots échangés verbalement. « Il faut prendre ça comme ça vient ! Il arrivera ce qui arrivera ! » disent-ils, certains avec sérénité même.

Au contraire de la révolte, qui consiste à refuser l'autorité, une règle ou une situation de vie, la résignation est le fait d'accepter sans protester, une tendance à se soumettre sans trop réagir, selon les mots du *Petit Robert*. On se fait une raison, on renonce à ce qu'on aurait préféré. La résignation ne s'intègre pas très bien au système de valeurs de nos sociétés ultramodernes axées sur la consommation effrénée et la satisfaction immédiate des besoins. D'aucuns pourraient prétendre qu'elle est la caractéristique des faibles et que les forts, les battants, n'en ont cure.

Pourtant, nos observations de bénévole nous incitent à croire que la résignation des grands malades relève d'une profonde sagesse de l'être humain. Une sagesse qui commande d'accepter finalement ce que la vie nous réserve pour éviter de se faire du mal, de se meurtrir, de plonger dans une profonde révolte souvent destructrice. Pourvu que, dans leur for intérieur, ces grands malades puissent continuer à lutter raisonnablement pour recouvrer santé et bien-être !

- **La crise**

Il n'est pas rare qu'un bénévole soit le témoin d'une crise de la part d'un malade. Un diagnostic de cancer incurable, une maladie en phase terminale, une thérapie qui échoue, un accident grave, un décès imprévu, tels sont les chocs susceptibles de provoquer des crises émotives, périodes de danger ou de grande difficulté. Dans un premier temps, il est essentiel que la crise ne dégénère pas en une situation extrême ou en une perte de maîtrise totale plongeant la personne dans l'incapacité et l'impuissance. Pour l'individu en état de crise, l'important, c'est de ne pas être seul ! Il a besoin d'écoute et de présence. Des mots encourageants, du soutien pour exprimer l'espoir, la confiance en lui et en l'avenir !

Un silence trop long, une reformulation, une question ouverte ne conviennent absolument pas. Le conseiller du moment doit constituer un point de repère et un appui. Il doit parler, verbaliser ce qu'il croit être le besoin de la personne en crise, paroles qui peuvent arrêter la progression de la crise. Exemples :

> « Je pense que vous avez besoin de quelqu'un pour vous rassurer et vous dire que vous êtes capable de faire face au problème ! »

> « Vous avez en vous toutes les ressources nécessaires pour tenir le coup ! »

> « Je vous sens découragée, perdue, mais je sens également que vous avez l'énergie pour sortir de vos difficultés. »

En captant ainsi son attention, la personne pourra se confier, ventiler ses émotions, fournir peut-être des explications, ce qui pourrait atténuer la crise. Rassurée, soutenue momentanément, elle sera probablement en mesure de se reprendre en main. Il serait alors bon de l'accompagner vers des services professionnels.

NOTES

1. D'après un texte des auteurs américains Kahana et Bibring, traduit par le Dr Louis Warren de Québec.
2. COMITÉ DE LA LUTTE CONTRE LE CANCER, *Avis: les équipes interdisciplinaires en oncologie*, Québec, Direction de la lutte contre le cancer, 2005, p. 20.

CHAPITRE 5

Accompagner les aînés

LA CLIENTÈLE ÂGÉE

Pour mieux cerner le travail des bénévoles auprès de la population âgée, il importe de fournir un certain nombre d'informations relatives à cette clientèle. Au Québec, on compte 1 001 086 personnes de soixante-cinq ans et plus (Statistique Canada, 2003), ce qui représente 13,37 % de la population totale. L'espérance de vie de ces personnes est de 18,7 ans. La clientèle par tranches d'âge s'établit ainsi:

- 65 à 74 ans : 553 652

- 75 à 84 ans : 343 206

- 85 à 89 ans : 69 101

- 90 ans et plus : 35 127

Phénomène étonnant, la majorité de ces personnes, dans une proportion de 75,9 %, résident d'une façon autonome dans leur maison. Les personnes vivant dans un contexte de maintien à domicile constituent 12,2 % de la population, celles hébergées en résidence privée avec services, 8,2 %, et celles qui logent dans les centres d'hébergement et de soins de longue durée (CHSLD) publics et privés, 3,7 %. Les bénévoles apportent surtout leur aide à la clientèle des CHSLD et à celle des résidences privées.

BIEN VIEILLIR

Le pourcentage des Canadiens déclarant jouir d'une bonne santé est de 45 % chez la clientèle des 65 à 74 ans et d'environ 35 % pour les hommes et les femmes de 75 ans et plus. Bon nombre de ces personnes s'adonnent d'ailleurs au bénévolat et font valoir leur compétence, ce qui rehausse leur sentiment d'utilité, élément essentiel du bien vieillir. *L'expression « bien vieillir » fait maintenant partie du vocabulaire utilisé pour parler des adultes plus âgés*, d'après des recherches de Statistique Canada. *La signification de cette expression a été le sujet d'un débat constant dans les cinquante dernières années. Une des opinions les plus couramment acceptées consiste à trouver un sens et une utilité aux activités de la personne concernée. On a constaté que les activités significatives sur le plan personnel et librement choisies sont corrélées à des résultats physiques et psychologiques positifs*[1]. Il est à noter que ce concept s'applique parfaitement aux personnes dont s'occupent les bénévoles dans les centres d'hébergement.

À quoi tous ces aînés se consacrent-ils pour être bien dans leur peau et conserver leur santé ? Le travail rémunéré, l'entretien de la maison, les tâches ménagères, la télévision, le bénévolat et, bien sûr, toute la gamme des loisirs. Les chercheurs reconnaissent quatre types de loisirs : les loisirs passifs (télévision, radio, promenade en voiture), les loisirs cognitifs (lecture, activités éducatives, écriture, bridge, scrabble, Internet), les loisirs sociaux (rencontres d'amis, échanges téléphoniques ou informatiques) et les loisirs physiques (activités sportives). Se consacrent surtout aux loisirs passifs les aînés en moins bonne santé. Les autres types de loisirs, où s'impliquent souvent les bénévoles, sont ceux liés à l'art de bien vieillir. Enfin, il importe d'insister sur le fait que le bien vieillir est aussi associé aux autres bonnes habitudes de vie comme s'alimenter convenablement, bien gérer ses émotions et son stress et vivre heureux. En bref, *loin d'être l'antichambre de la mort*, avoue Guy Durand, *la vieillesse est un temps pour vivre : un temps pour penser, pour dialoguer, pour aimer, pour agir, etc. Un beau temps, sain, noble, comme la vie elle-même.*

Longévité et âgisme

Le bénévole qui travaille auprès des aînés doit être sensibilisé aux réalités qui ont actuellement cours dans le domaine de la gériatrie et de la gérontologie. Nous vivons de plus en plus vieux et c'est également vrai pour ceux qui ont soixante-quinze ou quatre-vingts ans et plus. Selon Sandra Cusack et Wendy Thompson, gérontologues, les principales étapes de la vie ont été redéfinies : un jeune adulte est âgé de vingt à quarante ans ; un adulte d'âge moyen a de quarante à soixante ans et un adulte âgé a de soixante à quatre-vingts ans. Une vieille personne ou un aîné est âgé d'au moins quatre-vingts ans.

Comme nous le mentionnons dans *Vivez mieux, vivez plus vieux* :

Le 20e siècle a donné lieu à une révolution discrète et unique à l'égard de la longévité. Les sociétés occidentales, notamment, ont gagné plus de vingt-cinq ans de prolongation de vie, phénomène remarquable qui égale presque l'espérance de vie atteinte durant les cinq mille ans précédents de l'histoire de l'humanité. L'âge de référence de soixante-cinq ans bénéficie d'environ 20 % de cet accroissement. Les progrès économiques et sociaux, la baisse de la mortalité infantile, le souci d'une meilleure santé, la recherche biomédicale, telles seraient en partie les explications de cette révolution[2].

Cette longévité est surtout vue dans une perspective d'une bonne qualité de vie inséparable d'un épanouissement personnel, même à un âge avancé. Qui peut être intéressé à vivre vieux dans des conditions misérables où les incapacités de toutes sortes entraînent un alitement continuel, dans un état plus ou moins neurovégétatif?

Aussi paradoxal que cela puisse paraître, cette conquête de la longévité n'empêche pas les manifestations d'âgisme, une sorte de discrimination et de dépréciation à l'endroit des personnes en raison de leur âge. L'âgisme entraîne la perte de l'estime de soi et accélère souvent le déclin physique et mental. Les reproches aux vieux abondent: coût de leur retraite, soins de santé qu'ils accaparent, accidents de voiture dont ils seraient responsables même s'ils causent moins d'accidents que les autres tranches d'âge, improductivité, déclin intellectuel, etc. Il s'agit là d'une désinformation malheureusement trop répandue.

Dans un article de la revue *Gérontologie*[3], Robert Moulias analyse avec beaucoup d'à-propos le phénomène de l'âgisme dont il désigne plusieurs responsables. Les démographes, d'abord, qui ne parlent que de vieillissement de la population en passant sous silence le fait que la longévité est attribuable à une meilleure santé et à des soins plus adaptés. Le système de santé a sa part de responsabilités: refus de soins aux personnes d'âge avancé, insuffisance des structures destinées aux aînés, gériatres et gérontologues en trop petit nombre… et ces mêmes personnes qui, parfois, insistent trop sur les déficiences de la vieillesse au lieu de miser sur la prévention de la maladie. Rajoutons à cela les politiques gouvernementales et le syndicalisme, adepte du dogme de la retraite anticipée, ce qui va à l'encontre de toute logique économique et sociale. Robert Moulias ne manque pas de rappeler que les aînés participent parfois, eux-mêmes, au courant de l'âgisme. *Culpabilisés par les idées dominantes, ils se reprochent d'être là, de coûter cher, de se soigner… Ils arrêtent leur activité, ne sortent plus, se résignent à survivre au lieu de vivre.*

Le bénévole ne doit donc pas céder aux méfaits de l'âgisme. Il se convaincra que la longévité s'inscrit avant tout dans la perspective du vieillissement réussi. Personne ne vieillit de la même manière ; l'autonomie personnelle, les bonnes habitudes de vie, les activités diverses, les relations humaines, l'engagement, l'aptitude à être heureux sont à privilégier pour vivre mieux le plus longtemps possible.

LES RÉSIDENCES D'HABITATION PRIVÉES ET LES CHSLD

Les résidences privées et les centres d'hébergement et de soins de longue durée sont les principaux milieux où le bénévole intervient auprès des aînés. Du début du siècle jusqu'à l'avènement de l'État-providence, vers 1960, des entreprises privées et philanthropiques, dont le clergé, tenaient des lieux d'hébergement. Les asiles et les hospices recevaient les personnes âgées pauvres et malades ; il s'agissait de milieux d'accueil fort peu respectueux des résidents laissés-pour-compte…

Un peu plus tard, le Québec connaît une institutionnalisation massive des aînés dans les centres d'accueil[4]. Cette intervention gouvernementale ne manque pas d'uniformiser les habitudes de vie des résidents ; les aînés devenus des *bénéficiaires* se sentent de plus en plus dépersonnalisés. Les secteurs public et privé se partagent les responsabilités dans le domaine de l'hébergement et une seconde réforme des services de santé conduit à l'essor de la résidence privée à but lucratif.

De 1980 à 1995 environ, les rêves de l'État-providence commencent à se briser sur les récifs des finances publiques. L'universalité des programmes sociaux en prend pour son rhume. L'État recule et mise à la fois sur la responsabilité individuelle, tendance néolibérale, et la solidarité communautaire. La population vieillit de plus en plus et on sombre dans l'âgisme : perte d'autonomie des vieux, dépendance, vulnérabilité physique, déchéance… Les ressources institutionnelles deviennent limitées et l'absence de services à domicile est criante. Les bénévoles et les aidants naturels s'esquintent à la tâche. *Survient dès lors, avec la complicité « officieuse » des gouvernements*, écrit Michèle Charpentier, Ph. D., *une poussée sans précédent de privatisation des ressources d'hébergement dans notre histoire. Les résidences privées non agréées, viennent ainsi prendre le relais de l'hébergement public en même temps que s'observe un alourdissement de leur clientèle. [...] Les médias québécois et l'opinion publique sont particulièrement critiques à l'endroit des résidences privées, désignées comme des « foyers illicites » ou « clandestins »*[5]. Pour sa part, le gouvernement ira de l'avant avec son concept de virage ambulatoire et sa politique de maintien à domicile.

Au Québec, près de 120 000 aînés sont actuellement usagers des résidences privées ou des centres d'hébergement de soins de longue durée (CHSLD), les centres d'accueil des années 1990. Des équipes de bénévoles se dévouent inlassablement dans ces lieux où ils participent à diverses tâches. Selon l'Organisation de coopération et de développement économiques (OCDE), au cours des prochaines années, la demande de ces soins de longue durée augmentera sensiblement, surtout lorsque les baby-boomers atteindront le quatrième âge, soit quatre-vingts ans et plus. L'apport de l'action bénévole sera ainsi de plus en plus apprécié.

Les résidences d'habitation privées

La résidence d'habitation privée pour personnes âgées, une ressource à but lucratif en pleine expansion et en marge du réseau public, est un lieu d'habitation collective offrant une gamme de services plus ou moins étendue ; elle appartient à une personne ou à une corporation. Indépendante du réseau de la santé, elle peut être une unité locative ou simplement une chambre, laquelle est destinée à des aînés autonomes. Puisque dans certaines de ces résidences privées, la qualité de vie et dès soins de santé laissait parfois à désirer, pour employer un euphémisme, la Fédération de l'âge d'or du Québec (FADOQ), forte d'environ 300 000 membres, a mis sur pied un programme d'accréditation volontaire, les « Roses d'or ». Le programme évalue les résidences d'un territoire donné à partir de critères d'appréciation. On publie un bottin des résidences respectueuses des critères pour guider les aînés dans le choix d'un milieu d'hébergement. En 2006, le programme « Les Roses d'or » a joui de l'appui du gouvernement québécois.

D'après l'Agence de la santé et des services sociaux de Montréal, les résidences d'habitation privées poursuivent les objectifs suivants :

- Offrir des choix par rapport au secteur, au type de résidence, à la langue parlée, à la religion et au coût à payer ;

- Affranchir la personne des tâches de la vie domestique ;

- Offrir un environnement sécuritaire ;

- Présenter un milieu de vie avec des services ;

- Faciliter la vie sociocommunautaire.

À la suite de l'adoption en 2005 de la loi 83 sur la santé et les services sociaux, toutes les résidences privées pour personnes âgées avec services devront désormais être certifiées en regard de normes et de critères sociosanitaires. C'est ainsi que la législation permettra de mieux surveiller ce qui se passe dans les 2 500 résidences privées du Québec où habitent 80 000 personnes âgées, ce qui représente 8 % des personnes du troisième âge. La loi insiste aussi sur la participation des résidents aux activités du milieu par le biais de comités des usagers et de leur représentation au sein des conseils d'administration.

En ce qui concerne ce mode d'hébergement, la Résidence Desjardins à Saint-André-de-Kamouraska constitue sans conteste un organisme modèle au Québec. En effet, cette résidence, qui peut accueillir une cinquantaine de personnes âgées autonomes ou semi-autonomes, joue non seulement un rôle de développement majeur dans la municipalité, mais elle est aussi considérée, depuis 2000, partout dans l'est du Québec et sur la Côte-Nord, comme une référence en matière d'hébergement de personnes âgées. La résidence Desjardins a obtenu récemment deux Roses d'or, le plus haut pointage pour la qualité du bâtiment et des services.

Les centres d'hébergement et de soins de longue durée

Les CHSLD ont généralement l'avantage de structurer et de bien organiser l'action bénévole. Misant beaucoup sur l'apport du bénévolat, ils sont devenus de véritables milieux de vie. Selon la loi 83, *la mission d'un CHSLD est d'offrir de façon temporaire ou permanente un milieu de vie substitut, des services d'hébergement, d'assistance, de soutien et de surveillance ainsi que des services de réadaptation, psychosociaux, infirmiers, pharmaceutiques et médicaux aux adultes qui, en raison de leur perte d'autonomie fonctionnelle ou psychosociale, ne peuvent plus demeurer dans leur milieu de vie naturel, malgré le support de leur entourage.* Dans ce milieu, on ne considère pas que la vieillesse est une maladie et on prône le système de valeur suivant : respect de l'intégrité et de l'expression de la personne, protection et participation du résident et dignité personnelle. Tous les acteurs du CHSLD, administrateurs, gestionnaires, professionnels, intervenants ou bénévoles, doivent posséder les qualités personnelles nécessaires au maintien d'un climat de vie harmonieux, stimulant et enrichissant pour les résidents.

À la suite du scandale de Saint-Charles-Borromée, une enquête gouvernementale avait été mise sur pied et avait permis de constater de graves lacunes dans les soins de santé. On se rappellera que, le 24 novembre 2003, deux femmes révélaient les propos irrespectueux et dégradants de deux employés à l'égard de leur sœur, résidente de l'établissement. D'autres dénonciations avaient suivi... Trois jours après l'éclatement du scandale, le directeur du centre, Léon Lafleur, s'était suicidé et une tempête médiatique s'était littéralement abattue sur le Québec à un point tel que les médias avaient été blâmés pour la couverture de l'événement. Le Conseil de presse avait par la suite déterminé que l'intérêt public justifiait la médiatisation de l'affaire.

Hubert de Ravinel, ami de Léon Lafleur et bien connu dans le milieu de la bienfaisance, bénévole alors à Saint-Charles-Borromée, n'avait pas manqué de souligner qu'on avait été injuste envers le personnel et les résidents de l'établissement, parce qu'on avait omis de parler de tous les éléments positifs du milieu... Effectivement, les CHSLD sont en général de beaux milieux de vie où les résidents sont bien traités. Nombreuses, diversifiées et fort intéressantes sont les activités auxquelles participent les résidents aidés des bénévoles. Ils peuvent ainsi profiter de cafés-rencontres dans leur unité de soins, de visites d'amitié dans les chambres, de soins aux ongles et d'esthétique, d'un salon de coiffure, de soutien lors des repas, toujours avec l'appui des bénévoles.

Ceux-ci accompagnent les aînés lors de rendez-vous médicaux, lors de petites courses au dépanneur ou dans les centres commerciaux, lors des activités de pastorale, lors de promenades ou de petits voyages comme la visite de grands parcs et de lieux historiques. Et que dire des activités *intra-muros* : les fêtes thématiques (fête des Mères, Halloween, Noël) sont toujours soulignées, de même que les anniversaires des résidents ; on peut assister à des concerts maison, à des spectacles et participer à des séances de bingo, des projets intergénérationnels, des exercices physiques, des activités d'artisanat, etc., toutes des activités où les bénévoles apportent leur contribution. Le CHSLD Le Royer publie trimestriellement le journal des résidents, *L'Entre Gens*, de belle facture et dont les textes ne manquent pas d'intérêt. On pourrait citer de nombreuses autres initiatives qui illustrent le dynamisme profond de ces institutions. Oui, les CHSLD sont de véritables milieux de vie où il peut être agréable d'écouler ses jours !

Ils sont plus de 100 000 aînés actuellement dans les CHSLD. Bien sûr, les bénévoles sont en mesure de constater que la vie au quotidien dans ces lieux offre parfois un spectacle quelque peu affligeant. Ne nous leurrons pas… Certains résidents ont perdu complètement leur autonomie ou souffrent de maladies dégénératives avancées. Plusieurs sont aphasiques et vivent dans un état presque neurovégétatif, le regard vide… Ni passé, ni présent, incapables de reconnaître leurs proches. Leur solitude est totale, leur passivité, complète. L'heure des repas est particulièrement triste et pénible : tous ces gens qui mangent seuls près des autres, sans communiquer, avec peu d'expressivité, dans le plus grand silence, mises à part les interventions ponctuelles des préposés aux patients… alors que se nourrir est généralement une activité si conviviale.

Et ce manque criant d'affection ! Bien sûr, le personnel exprime souvent des sentiments chaleureux envers l'un ou l'autre, mais il a tant à faire : les paroles et les gestes sont fugitifs. Les bénévoles, eux, disposent de plus de temps et ne ratent pas l'occasion de témoigner leur affection aux résidents, surtout par une écoute attentive.

Les familles, les proches, dans bien des cas, ont abdiqué. Là-dessus, Line Saint-Amour, Ph. D., psycholoque et Francine Sasseville, M.D., expriment un point de vue d'une grande justesse :

> Il est attristant de constater l'absence fréquente des proches. Pourquoi cette mise à distance de la part des familles lorsque se manifeste le déclin ? Probablement est-ce la cause du spectacle de la maladie incurable, du vieillissement et de ses pertes, et surtout, le spectre de la mort, omniprésent. L'effet de miroir, le reflet possible de son propre avenir pour une société qui mise tant sur l'Avoir et le Paraître est insoutenable, et cet effet se trouve amplifié par la promiscuité de plusieurs personnes démunies dans un même espace restreint. Ainsi, les résidents

en CHSLD qui ont des proches dévoués à leur égard verront les visites s'espacer graduellement. Cela non pas par désintérêt, mais plutôt en raison de l'émergence douloureuse des sentiments d'ambivalence et de culpabilité suscités par le placement ainsi que de la perte du sens de la relation[6].

> Ce contexte psychosocial, le bénévole doit en prendre conscience et comprendre le mieux possible les réactions des résidents, encore une fois, par une écoute active et des attitudes chaleureuses.

Quel est l'avenir des CHSLD ? Les médias nous annonçaient récemment que l'Agence de santé de Montréal, organisme qui représente le ministère de la Santé et des Services sociaux, a décidé de fermer, d'ici trois ans et demi, 2 200 des 14 000 lits réservés aux soins de longue durée, surtout occupés par des aînés d'une grande dépendance. Comme le soulignait le journaliste de *La Presse*, André Noël, il s'agit d'une réforme majeure qui favorise les services à domicile et le développement de petits établissements privés ou communautaires. Les quelque 800 lits de soins de longue durée qui se trouvent dans les centres hospitaliers comme à l'Hôpital du Sacré-Cœur de Montréal disparaîtront… de même que quelque 1 400 lits dans les CHSLD. Qui plus est, des CHSLD seront fermés, d'autres rénovés. Puisqu'une personne âgée qui vit dans ces milieux coûte 40 000 $ par année à l'État, à partir de 2010, les CHSLD de l'Île de Montréal admettront seulement les cas les plus lourds, exigeant plus de trois heures de soins par jour. L'Agence de développement de réseaux locaux, de services de santé et de services sociaux a mis en circulation, en octobre 2005, en vue d'une consultation, un document de travail intitulé *Vision stratégique et plan de mise en œuvre 2005-2010 des services aux personnes âgées*. Le projet de réforme a été accueilli froidement ; si les experts sont en faveur du maintien à domicile et la création de petites résidences, ils sont beaucoup moins d'accord pour la suppression de lits dans les CHSLD. Comment réagira le Conseil des aînés, seule instance gouvernementale composée majoritairement d'aînés, qui agit à titre de conseiller pour toutes les questions qui concernent les personnes âgées?

Les centres d'hébergement, il est bon de le rappeler, sont souvent soumis à un code d'éthique qui encadre le personnel et les résidents grâce à des règles qui valorisent une façon de vivre dans l'harmonie et la quiétude. Ainsi, à l'Institut universitaire de gériatrie de Montréal, pour ne citer qu'un exemple, le code d'éthique aborde des thèmes comme la dignité et les droits de la personne, la qualité de vie et des soins dans le milieu et le droit à l'information. Tout y passe en quelque sorte : la protection de la personne, la liberté et les droits civils, l'information sur leur état de santé et les traitements prescrits. On favorise donc, par tous les moyens, le mieux-être du résident.

Après avoir décrit des milieux où le bénévole peut exercer son action, il importe maintenant de parler un peu plus longuement de la clientèle qui fait l'objet d'une entraide et d'un altruisme de la part de ces femmes et ces hommes généreux de leur temps, de leur compétence et de leur savoir-faire.

LES PERTES DUES AU VIEILLISSEMENT

Il est bien évident que les personnes âgées ont vécu bien des pertes et des deuils dans leur vie. Leurs parents, sœurs ou frères sont souvent disparus, sans compter leurs amis, et ces deuils continuent, de diverses façons, à hanter les aînés. Les traumatismes ne se sont pas complètement effacés. La mort d'un conjoint est l'une des plus grandes épreuves à traverser… les souvenirs demeurent et la blessure ne se referme pas.

Les pertes physiques et psychologiques du vieillissement frappent de plein fouet les aînés. L'arthrite ou la sclérose en plaques peuvent clouer la personne au fauteuil roulant; la déficience auditive ou visuelle, une moins bonne mémoire peuvent imposer des limites dans la vie quotidienne. Sans oublier le déracinement et l'insécurité financière de plusieurs personnes. Non seulement ces pertes ont-elles un impact direct sur la vie personnelle, mais elles ont des effets négatifs sur le sens de l'identité, l'image de soi, le système de valeurs et l'espoir en l'avenir. *Il est indéniable,* avons-nous écrit, *que la marque des ans diminue graduellement les capacités physiques et mentales des sujets âgés. Malheureusement, personne ne peut échapper à ce déclin, et chacun y réagit à sa manière. Les uns se montrent pessimistes, voire fatalistes, ce qui décourage en eux tout effort de croissance. D'autres verront les choses d'un œil différent et décideront de profiter de cette dernière étape de la vie pour continuer à progresser[7].*

Pour sa part, Michèle Carrière déclare avec justesse : *Le bénévole qui accompagne les aînés ne doit pas oublier cette réalité des pertes du vieillissement. Aussi faut-il qu'il soit à l'écoute des souffrances et du vécu de la personne âgée ; la relation d'aide permet précisément l'expression des émotions qui peuvent alléger le cœur et l'esprit dans un climat de soutien et de compréhension. Prendre le temps de chercher à comprendre l'individu derrière la maladie, la démence ou tout simplement le vieillissement. Essayer d'être à l'écoute, de prendre conscience des pertes qu'il a subies, des deuils qu'il a à vivre et à surmonter. Son image, son estime de soi et son autonomie en prennent un coup. Même si les symptômes peuvent être semblables d'une personne à l'autre, toutes ne le vivent pas nécessairement de la même façon.* Dans un tel contexte, la mise en relief des sentiments positifs comme les moments heureux du passé contribue au bon moral des sujets ; il est plus délicat d'aborder les sentiments négatifs, tels la peur, la tristesse, la colère, mais leur rappel, avec tact et douceur, peut soulager et libérer celui qui se confie.

LA SANTÉ MENTALE

La souffrance morale est une épreuve redoutable pour les gens âgés, surtout lorsqu'ils ne sont pas en mesure de s'en affranchir aisément. La détresse psychologique s'avère même un élément annonciateur important de décès chez les femmes. En ce sens, la santé mentale vient jouer un rôle de premier plan dans la vie des aînés ; l'équilibre psychoémotif fait toute la différence entre des personnes âgées heureuses, bien dans leur peau, et les autres qui souffrent à des degrés divers. Qu'est-ce à dire ?

> La santé mentale de la personne âgée est tributaire de l'hérédité et du milieu, de l'interdépendance entre sa maturation physique et psychologique, de la conservation de ses habiletés psychologiques et de sa capacité à résoudre les conflits. L'image la plus simple de la personne âgée mentalement en santé est celle d'une personne qui s'adapte : elle conserve des liens affectifs satisfaisants avec les autres, ne réagit pas de manière automatique aux situations, supporte assez bien le stress et ne constitue pas un fardeau pour elle-même ni pour les autres[8].

Des traits de personnalité peuvent donc caractériser une bonne santé mentale chez les aînés. S'accepter avec ses qualités, ses défauts et ses limites, savoir lutter contre le stress, bien gérer ses énergies, percevoir son environnement et ses proches avec réalisme, manifester de l'autonomie, trouver des solutions à ses problèmes, être bien dans sa peau, s'occuper à des tâches, à des loisirs ou à des activités bénévoles, tels sont les éléments d'une excellente santé mentale. En ce sens, le psychiatre américain Karl A. Menninger donne une définition pertinente de la santé mentale : *C'est l'adaptation d'un être au monde et aux autres humains avec un maximum d'efficacité.*

Ayant toujours à l'esprit un aphorisme fondamental de la gérontologie, *Savoir pour mieux aider*, examinons maintenant les types de personnalité des personnes âgées, selon la conception de Reichard et coll.[9] Les trois premiers types de personnalité âgée reflètent un bon sens de l'adaptation ; ce sont des gens qui surmontent les frustrations et apportent des solutions aux conflits reliés au vieillissement. Les deux autres types sont des personnalités mal adaptées. Il faut toutefois interpréter cette classification avec prudence : ces types de personnalité à l'état pur n'existent probablement pas. Encore là, ce sont des balises destinées uniquement à faciliter le travail d'accompagnement du bénévole. C'est donc avec jugement et perspicacité que le bénévole utilisera ces concepts.

- **Les personnes mûres ou les réorganisateurs**

Les personnes les plus épanouies sont les mieux adaptées au processus du vieillissement : elles acceptent leur situation, profitent de ce que la vie leur offre encore, sont réalistes et se sentent heureuses dans leur entourage. Actives, elles s'engagent dans de nouvelles activités et s'intéressent à la vie communautaire et même au travail bénévole. Elles ont une bonne maîtrise d'elles-mêmes et sont aimables et tolérantes envers les autres.

- **Les pantouflards ou les désengagés**

Ces gens sont de grands amateurs de la berceuse. Peu ambitieux, passifs et dépendants, ils sont surtout satisfaits de ne plus assumer de responsabilités. Ils acceptent bien le soutien de la famille et de la société. Ils vieillissent sans problème ; ils satisfont leur besoin de dépendance. Bien entendu, ils éloignent les conflits, cachent bien leur agressivité, mais ils seraient souvent sujets à des troubles névrotiques.

- **Les blindés ou les endurcis**

Ces personnes savent bien s'adapter aux changements. Elles utilisent parfois des mécanismes de défense comme la rationalisation ou la projection pour contrôler la crainte de la déchéance et de la dépendance. Des personnes de devoir plutôt que de plaisir. Fières de leur indépendance financière et satisfaites de leur passé, elles cherchent à se prouver qu'elles ne sont pas vieilles en étant actives, en maîtrisant leurs émotions et en s'accrochant à leurs habitudes. Elles n'aiment pas s'impliquer personnellement dans les discussions et, lorsque les déficits sensoriels ou psychologiques les atteignent, elles deviennent vulnérables.

- **Les mécontents**

Mal adaptées à leur vieillissement, les personnes mécontentes sont très punitives envers les autres. Colériques, hostiles ou amères, elles blâment les autres de leurs échecs. Elles sont agressives, méfiantes, pessimistes. Leur tolérance à la frustration est peu élevée. Elles refusent de vieillir, éprouvent du mépris pour les jeunes et la mort les rend anxieuses.

• **Les autodépréciateurs**

Ces gens sont très mal adaptés à la vieillesse. Ils sont dépressifs, amers, hostiles, punitifs envers eux-mêmes. Ils se sentent responsables de leurs échecs et de leurs déboires. Remplis de regrets pour leur passé, ils tiennent un bilan négatif de leur existence. Ils ont été insatisfaits de leur vie de travailleur. Jouissant d'une estime de soi très faible, se sentant impuissants et inutiles, le vieillissement est pour eux une déchéance et ils espèrent en finir le plus tôt possible avec la vie.

LA MALADIE D'ALZHEIMER

Comment ne pas parler de cette effroyable démence, la maladie d'Alzheimer ? L'année 2006 marque le centième anniversaire de la première description de la maladie par le Dr Aloïs Alzheimer. Près de 205 000 Canadiens âgés de plus de 65 ans souffrent de la pathologie. D'après le Conseil des aînés, la démence sous toutes ses formes toucherait actuellement environ 8 % des Québécois de 65 ans et plus, soit quelque 90 000 personnes. La maladie d'Alzheimer, la plus fréquente cause de démence, touche 64 % de ces personnes, environ 55 000 à 60 000 des sujets âgés.

« Y a-t-il d'autres résidents qui viennent faire la promenade avec moi ? »

Je lui réponds doucement : « Oui, Mme Yvonne, d'autres personnes se joindront à nous. »

Elle me posera cette question six ou sept fois en quelques minutes et, chaque fois, je répéterai la même chose, avec douceur, en essayant surtout de la rassurer.

M. Xavier est un homme qui a fait carrière dans le milieu des arts et de la culture au Québec. Il a l'apparence d'un acteur hollywoodien, 1,85 m, belle chevelure grise ondulée; de superbes photos ornent sa chambre et rappellent des moments très heureux dans sa vie. M. Xavier, à peine âgé de soixante-treize ans, est maintenant cloué à un fauteuil roulant, paraplégique, aphasique, avec un minimum d'expressivité dans le visage…

La maladie, appelée autrefois *gâtisme*, peut aussi frapper des personnes plus jeunes. Le cinéaste québécois Claude Jutra avait à peine cinquante-cinq ans quand ont commencé les atteintes de la maladie. D'autres célébrités ont été touchées : l'ex-président Ronald Reagan de même que Rita Hayworth, Charlton Heston, Charles Bronson, Frank Sinatra, Jean-Pierre Aumont et François Perrier, pour ne nommer que ceux-là.

Maladie mystérieuse ! Maladie étrange ! Maladie opaque ! écrit Marie Gendron, Ph. D., directrice de Baluchon Alzheimer à Montréal et travaillant depuis vingt-cinq ans auprès des malades d'Alzheimer. *Je crois qu'il y a autant de maladies d'Alzheimer que de personnes qui en sont atteintes ; chacune vivant la maladie à sa façon, marquée par sa personnalité, son itinéraire, ses souvenirs heureux, ou moins heureux. L'expérience vécue par chacune de ces personnes est une variation inédite sur le thème de l'humain*[10].

Ces grands malades, sont-ils des aînés qu'il faut en quelque sorte abandonner ? Pas du tout. Comment le bénévole peut-il intervenir ? Il peut rendre de grands services à ces aînés en respectant deux conditions : connaître les symptômes de la maladie et son évolution ; développer un savoir-faire qui pourra s'enrichir de l'expérience.

Forme de démence neurovégétative, affirmons-nous dans *Vivez mieux, vivez plus vieux*, les signes cliniques de la pathologie ne laissent pas de place au doute. Les troubles de mémoire d'abord, mais pas ceux de tout un chacun qui sont généralement bénins. La personne oublie presque immédiatement ce qu'on lui raconte ; la mémoire à court terme flanche. D'où les répétitions incessantes, difficiles à supporter par les proches. Les défaillances de la mémoire s'aggravent. Des problèmes spatio-temporels se manifestent également : le malade est incapable de se retrouver dans sa propre ville, il perd le sens de l'orientation ou il n'arrive pas à dire en quelle année il vit. Il peut aussi égarer des objets familiers ou les ranger dans des endroits inappropriés : des clés dans un sucrier, des outils au réfrigérateur ou de l'argent dans un tiroir à ustensiles. La pensée abstraite, le jugement et le langage seront aussi affectés d'une façon progressive. L'agnosie suivra : le sujet ne peut plus nommer les choses, ni mentionner leur utilité. Et nous n'oublions pas les troubles de la personnalité : anxiété, agressivité, indifférence aux autres, etc. La mort peut survenir entre cinq et dix ans[11].

Les signes précurseurs de la maladie ont évidemment leur importance. La Société Alzheimer a préparé la liste des dix symptômes suivants :

- **Pertes de mémoire qui nuisent aux activités quotidiennes**

Oublier occasionnellement un rendez-vous, le nom d'un collègue ou un numéro de téléphone et s'en rappeler plus tard est un phénomène normal. Une personne atteinte de la maladie d'Alzheimer oubliera fréquemment des choses et ne s'en souviendra pas plus tard, particulièrement des événements qui se sont produits récemment.

- **Difficultés à exécuter les tâches familières**

Dans le cadre de nos activités quotidiennes, il nous arrive à tous d'être distraits et, par exemple, d'oublier les légumes cuits sur la cuisinière et ne les servir qu'à la fin du repas. Une personne atteinte de la maladie d'Alzheimer peut avoir de la difficulté à exécuter des tâches familières qu'elle a accomplies toute sa vie, comme préparer un repas.

- **Problèmes de langage**

Parfois, il peut être difficile de trouver le mot juste. Une personne atteinte de la maladie d'Alzheimer peut oublier des mots faciles ou les remplacer par des mots qui rendront ses phrases difficiles à comprendre.

- **Désorientation dans l'espace et dans le temps**

Il est normal d'oublier pendant un court moment le jour de la semaine ou même l'endroit où vous allez. Il peut arriver qu'une personne atteinte de la maladie d'Alzheimer se perde dans sa propre rue, ne sachant plus comment elle s'est rendue là, ni comment rentrer chez elle.

- **Jugement amoindri**

Parfois, lorsqu'on est malade, on tarde à se faire soigner ; mais on finit par se rendre chez le médecin. Une personne atteinte de la maladie d'Alzheimer pourrait avoir un jugement amoindri et, par exemple, ne pas reconnaître un problème de santé qui nécessite d'être traité ou porter des vêtements chauds en pleine canicule.

- **Difficultés face aux notions abstraites**

Une personne peut parfois éprouver de la difficulté à faire des opérations abstraites, par exemple, établir le solde de son compte de chèques. Une personne atteinte de la maladie d'Alzheimer peut avoir de grandes difficultés à accomplir des tâches de cette nature, par exemple, ne pas comprendre ce que représentent les chiffres indiqués dans le carnet de chèques.

- **Objets égarés**

Quiconque peut égarer temporairement son porte-monnaie ou ses clés. Une personne atteinte de la maladie d'Alzheimer rangera les objets dans des endroits inappropriés (un fer à repasser dans le congélateur ou une montre dans le sucrier).

- **Changements d'humeur ou de comportement**

Il nous arrive à tous d'être triste et maussade. Une personne atteinte de la maladie d'Alzheimer peut changer d'humeur très rapidement, par exemple, du calme aux pleurs et à la colère, sans raison apparente.

- **Changements dans la personnalité**

La personnalité de chacun peut changer quelque peu avec l'âge. La personne atteinte de la maladie d'Alzheimer peut devenir confuse, renfermée et méfiante. Au nombre des changements possibles, on compte aussi l'apathie, la peur et des comportements qui lui sont inhabituels.

- **Perte d'intérêt**

Il nous arrive tous occasionnellement de nous lasser de l'entretien ménager, de notre travail ou de nos activités sociales, mais la plupart des gens retrouvent vite leur enthousiasme. Une personne atteinte de la maladie d'Alzheimer peut devenir très passive et aura besoin de beaucoup d'encouragements pour prendre part aux activités.

Pour comprendre davantage la pathologie, référez-vous à l'échelle de détérioration globale de Reisberg[12] en page suivante.

La progression de la maladie se fait généralement sur une période de neuf ans. Les deux premières années présentent des symptômes de déficiences cognitives légères de l'ordre des pertes de mémoire. Les déficiences deviendront plus graves au cours des années : des oublis importants, des questions répétées, de la perte d'intérêt à l'abandon des fonctions exécutives, l'aphasie, l'agitation et la dépendance totale.

Il n'est pas exagéré de soutenir que la maladie bouleverse profondément la vie des proches et du couple. Dans *J'ai commencé mon éternité*, Édith Fournier a écrit récemment des pages mémorables sur les années de déclin de son mari, Michel Moreau, réalisateur et

TABLEAU 1

Le déclin mental : échelle de Reisberg

Stade 1 : Stade de référence

Ne vit aucune difficulté dans le cadre de la vie quotidienne

Stade 2 : Troubles de mémoire

Oublie les noms et l'emplacement de certains objets

Peut avoir de la difficulté à trouver ses mots

Stade 3 : Confusion bénigne

A de la difficulté à aller à de nouveaux endroits

A de la difficulté à faire face aux problèmes qui surviennent

Stade 4 : Confusion avancée

A de la difficulté à accomplir des tâches complexes

(finances, emplettes, planification d'un repas avec invités)

Stade 5 : Problèmes bénins d'ordre cognitif

A besoin d'aide pour choisir ses vêtements

A besoin d'être incité à se laver

Stade 6 : Problèmes moyens d'ordre cognitif

A besoin d'aide pour se laver ou a peut-être peur de prendre son bain

A besoin d'aide pour s'habiller

De moins en moins capable d'aller aux toilettes ou est incontinent

Supervision constante

Stade 7 : Problèmes avancé d'ordre cognitif

Vocabulaire limité pour enfin ne répondre que par un seul mot

Perd la capacité de marcher et de s'asseoir

Devient incapable de sourire

Supervision constante

cinéaste. Elle avoue notamment: *L'hypothèse du pire est rarement celle qui s'impose au départ. C'est la crise conjugale qui sonne d'abord l'alerte. En quelques mois, on se retrouve étrangers l'un à l'autre. C'est la déroute absolue, faute de comprendre la nature du processus qui s'amorce. [...] Celui qui accompagne ne saura jamais ce que vit la personne atteinte d'une maladie grave qui affecte les fonctions cognitives. Tous les repères s'effilochent. Au creux de cette errance se trouvent les ferments d'une certaine sagesse: celle de ne plus savoir. [...] La dégénérescence cognitive engendre une maladie de la communication. Vivre seuls, à deux*[13]. Michel Moreau est actuellement hébergé à l'Institut universitaire de gériatrie de Montréal.

Dans son travail, le bénévole peut rencontrer des personnes atteintes à divers degrés de la maladie d'Alzheimer. Voici quelques conseils supplémentaires destinés à simplifier la tâche des aidants.

- **Choisissez un moment de rencontre propice.** Présentez-vous à un moment qui convient à la personne. Écourtez votre visite si la personne n'est pas à l'aise ou montre des signes de fatigue.

- **Employez un langage approprié.** Communiquez par des gestes et des mots. Ralentissez le rythme de la conversation, afin de donner à la personne le temps de répondre.

- **Aidez-la à comprendre la situation de communication.** Si la personne semble perplexe, confuse, dites-lui votre nom et la raison de votre venue. «Je m'appelle X et je suis venue vous rendre visite aujourd'hui. »

- **Acceptez la réalité telle que la personne la voit.** La personne devient angoissée si l'interlocuteur corrige régulièrement ses erreurs. Elle risque alors de se fermer. Renforcez-la plutôt dans son estime de soi en acceptant son monde intérieur et sa version de la réalité. La personne peut prendre plaisir à des jeux d'enfants...

- **Soyez à l'écoute.** La personne atteinte de la maladie a du mal à se faire comprendre et aimerait peut-être parler de ses émotions. Soyez ouvert et compatissant. Regardez-la dans les yeux et montrez-lui que vous l'écoutez attentivement.

- **Entrez en relation par le biais d'une activité.** Livrez-vous à des activités ensemble. Écoutez de la musique. Faites une promenade à pied. Centrez-vous sur les talents et les capacités de la personne.

- **Montrez-lui que vous êtes intéressé à son bien-être.** Les émotions, l'expression orale et le toucher sont la base de la communication. Tenir la main à un grand malade ou lui sourire pendant la conversation peut exprimer bien plus que les mots seuls.

- **Évoquez des souvenirs.** Les ennuis de mémoire à court terme ne nuisent aucunement à la mémoire à long terme. Les souvenirs très anciens constituent une source de consolation. Regardez avec la personne des albums de photos ou des vidéos. Aidez-la à faire des collages de photos lui rappelant les événements de sa vie. Son anxiété diminuera en faisant une sorte de relecture gratifiante de sa vie.

En guise de conclusion, nous ne répéterons jamais assez l'importance de l'écoute, de la compassion, de la tendresse que le bénévole doit vouer aux personnes âgées dans le contexte de ses interventions. La rencontre avec des aînés peut d'abord nous fasciner ou nous saisir; ne sommes-nous pas en présence d'un miroir, le miroir de notre propre vieillissement, qui nous renvoie des sentiments hostiles tels la peur, l'angoisse, l'insécurité ? Le bénévole doit apprendre à surmonter ces premiers contacts et décoder de plus en plus le langage corporel des sujets âgés : regards, hochements de la tête, gestes des mains, mouvements des bras, etc. La compréhension, la réceptivité et le toucher, nécessité vitale au même titre que se nourrir, respirer, boire, dormir, rapprochent indéniablement de ceux qui ont tant besoin de présence humaine.

NOTES

1. B. MACPHERSON, « Aging as a social process : Canadian perspectives », Don Mills (ON), Oxford University, 2004, cité dans STATISTIQUE CANADA, *Enquête sociale générale sur l'emploi du temps : cycle 19, Bien vieillir : l'emploi du temps des Canadiens âgés, 2005*, Ottawa, 2006, p. 4.

2. André LEDOUX, *Vivez mieux, vivez plus vieux, Guide pour une vie en santé*, Boucherville, Les Éditions de Mortagne, 2006, p. 335.

3. Robert MOULIAS, « Longévité et âgisme », *Gérontologie*, no 134, 2005, p. 33 à 38.

4. Michèle CHARPENTIER, Ph. D., *Priver ou privatiser la vieillesse ? Entre le domicile à tout prix et le placement à aucun prix*, Montréal, Presses de l'Université du Québec, 2002, p. 12 à 27.

5. *Ibid.*, p. 19 et 20.

6. Line SAINT-AMOUR, Ph. D. et Francine SASSEVILLE, M.D., « Le concept de CHSLD demeure un choix acceptable », *La Gérontoise*, vol. 11, no 2, juin 2000, p. 7.

7. André LEDOUX, *op. cit.*

8. « Gérontologie en institution » [en ligne]. [http://membres.lycos.fr/papidoc/24santementale.html?] (30 août 2006)

9. Suzanne REICHARD, Florine LIVSON et Paul G. PETERSEN, *Aging and Personality : A Study of Eighty-Seven Older Men (Growing old)*, Ayer Co. Pub, 1962, 237 p., cité dans « Gérontologie en institution » [en ligne]. [http://membres.lycos.fr/papidoc/24santementale.html ?] (5 septembre 2006).

10. Marie GENDRON, *L'entr'aide-mémoire*, éditorial du bulletin de Baluchon Alzheimer, vol. 3, no 1, juillet 2004 [en ligne]. [http://www.baluchonalzheimer.com/fichiers/bulltnv3n1.pdf] (24 mai 2007)

11. André LEDOUX, *op. cit.*, p. 78.

12. Barry REISBERG, S.H. FERRIS, M.J. DE LÉON et T. CROOK, « The Global Deterioration Scale for assessment of primary degenerative dementia », *American Journal of Psychiatry*, vol. 139, no 9, sept. 1982, p. 1136-1139, cité dans SOCIÉTÉ ALZHEIMER, « L'évolution de la maladie d'Alzheimer » [en ligne]. [http://www.alzheimer.ca/french/disease/progression-gdscale.htm] (24 mai 2007)

13. Édith FOURNIER, *J'ai commencé mon éternité*, Montréal, Éditions de l'Homme, 2007, p. 261 à 265.

La méditation sur la mort est l'une des plus importantes pratiques pour inciter l'esprit à suivre la voie spirituelle. C'est en gardant constamment présente à notre conscience la pensée de la mort que notre vie prend de plus en plus de sens.

Elisabeth KÜBLER-ROSS

La peur de la mort nous rive à une vie frileuse, sans horizon autre que sa triste perpétuation. Exorciser la mort permet en revanche d'accéder à la vie libre et belle : jouir de chaque instant, ici et maintenant.

Yannis CONSTANTINIDÈS, Ph. D.

N'oublions pas que nous sommes tous des mourants en puissance et que la mort de l'autre nous oblige à affronter notre finitude bien avant notre propre fin.

Chantal DELVAULX

CHAPITRE 6

Accompagner les personnes en fin de vie

APPRIVOISER LA MORT

Jamais, dans l'histoire, l'homme n'a autant lutté contre la mort ; elle semble devenir la première préoccupation, voire l'obsession de la société occidentale. La mort suscite les pires appréhensions ; elle devient socialement inacceptable ; elle est considérée comme une véritable tare. La comédienne française, Jeanne Moreau, confiait à une journaliste de la revue *Châtelaine* : *Des morts, j'en ai vus, je suis une enfant de la guerre. J'ai vu des gens tués, assassinés, des morts qu'on veillait, qu'on habillait… Maintenant, on les cache, les morts*[1]. La mort apparaît comme un échec et un anéantissement. N'est-elle pas une maladie que la technologie et la science finiront par vaincre ? La négation du vieillissement, le perfectionnement biologique de l'être humain, le recours à la chirurgie esthétique et la religion de la santé nous donnent la fallacieuse impression que nous pourrons atteindre l'immortalité.

On s'efforce de dissimuler la fin de la vie, d'en refouler la pensée en raison de la hantise de mourir dans les souffrances atroces d'une maladie terrible. On fuit donc la mort, on y voit un phénomène anormal alors que la nature nous enseigne tous les jours qu'il n'en est pas ainsi, loin de là : les saisons meurent, les plantes disparaissent et les animaux nous quittent. Chaque nuit n'est-elle pas une petite mort ? *Toute la vie n'est qu'un voyage vers la mort*, de nous rappeler Sénèque, le philosophe grec.

La bonne attitude

Nos attitudes face à la mort peuvent conditionner largement notre existence. Première réaction : certains choisissent d'y penser le moins possible. *Les hommes n'ayant pu guérir la mort, la misère et l'ignorance*, écrit si bien Pascal, *ils se sont avisés, pour se rendre heureux, de n'y point penser*. C'est le déni et on fera tout pour rester jeune ; dans de nombreux magazines abondent des photos de retraités paraissant à peine la quarantaine…

D'autres ont développé l'obsession de la mort ; les anxieux et les hypocondriaques, comme l'indique le Dr Christophe André, psychiatre français, croient éloigner la mort en y pensant avec une constance maladive. Ils ne veulent surtout pas guérir, car cela les priverait des soins de santé et de la présence médicale.

D'autres enfin, les plus sages, réfléchissent à la question de la mort *pour se motiver à mieux profiter de la vie*, toujours selon le Dr André, *et la possibilité est même offerte de ressentir ses bonheurs d'autant plus fortement qu'on sait que la mort et le malheur existent*[2].

C'est dans un tel contexte que le bénévole exerce son action auprès des mourants. Il doit s'efforcer de comprendre les valeurs d'une société qui abhorre, en l'ignorant ou en l'occultant, la finitude de la vie. On a toujours hâte d'en terminer avec la maladie grave et tout ce qui entoure le décès des proches.

Se rapprocher de la mort

Le bénévole qui veut travailler auprès des mourants, que ce soit à domicile, dans les unités d'un centre hospitalier ou dans les maisons de soins palliatifs, serait d'abord sage d'apprivoiser en quelque sorte la mort. Il doit faire une réflexion sur cette réalité, même si nos contemporains la considèrent comme une frustration contre laquelle on ne peut rien. Sur sa propre mort, d'abord, à laquelle il doit penser, à défaut de l'accepter, et qui fait partie de la condition humaine, source de désespoir ou source d'évolution personnelle. *Assister les mourants*, écrit Sogyal Rinpoché, *est en soi une contemplation et une réflexion profondes sur notre propre mort. C'est une manière de la regarder en face et de travailler avec elle*[3].

La mort qui survient en milieu hospitalier fait illusion : elle n'est pas un événement médical, car le grand départ est avant tout un phénomène de la vie humaine, personnelle et sociale. Plus l'on vieillit, plus la fin de la vie devient présente, alors que, plus jeune, notre attention porte ailleurs. Regarder en face sa mort, se dire que nous mourrons, qu'il est bien qu'il en soit ainsi et se résigner, s'il le faut, ce sont des pensées qui nous feront apprécier la vie. Bien sûr, ce n'est pas du jour au lendemain qu'on en arrivera à la sérénité. Sans effacer le mystère de la mort, les religions et les croyances peuvent faciliter les choses.

Il faut aussi prendre conscience que tout dans la société actuelle contribue à nier la mort comme événement. Les gens décèdent de plus en plus à l'hôpital, loin de leur domicile : selon l'Institut de la statistique du Québec, seulement 8,5 % des mourants ont rendu l'âme à la maison. L'entreprise funéraire, où le mort devient un client, prend tout en main. L'incinération amplifie cette négation de la mort : plus de cadavre, une petite urne, c'est beau, c'est propre ! Et le tout se passe souvent à la vitesse de l'éclair. Comme le mentionne avec beaucoup d'à-propos Colette Gendron, professeure à la faculté des sciences infirmières de l'Université Laval, *de nos jours, on recherche une mort discrète, banalisée, qui ne dérange pas. On souhaite une mort imprévue et rapide, une mort qui n'en est pas une*[4]. Ce refus de la mort va à l'encontre de son apprivoisement. Pourtant, c'est la mort qui donne tout son prix à la vie !

Sur le plan pratique, pour se rapprocher davantage de la mort, le bénévole pourrait commencer à travailler avec des patients qui n'appartiennent ni à sa génération ni à son sexe. Vivre l'expérience d'un décès en accompagnant une personne très âgée est certes plus facile que d'accompagner une mourante du même âge que nous. Avec l'expérience, le bénévole s'habituera à côtoyer la mort et pourra accompagner des personnes de son âge et de son sexe.

L'acceptation de la toute fin

Parce qu'elle est en quelque sorte une conclusion à la vie, la mort devrait être un fait simplement acceptable par les humains que nous sommes. Telle n'est pas la réalité, comme nous le savons. Des chercheurs ont toutefois observé, chez un bon nombre de mourants, une acceptation de la mort au cours des derniers instants de l'existence. Elisabeth Kübler-Ross a réussi à décrire, grâce à ses nombreuses expériences, cinq étapes franchies par les personnes en fin de vie. En voici un bref résumé tiré de l'ouvrage de la célèbre psychiatre *Accueillir la mort*.

- **La dénégation**

En apprenant la nouvelle d'une mort imminente, sous le choc, la personne, nie d'abord le verdict. Elle prétend que cela ne se peut pas, met en doute le diagnostic médical. Ce deni permet de réduire l'impact de la prise de conscience de la mort qui vient à grands pas. La personne peut même, à travers cette négation, nourrir un peu d'espoir.

- **La rage et la colère**

Pourquoi mourir maintenant? Le malade se révolte à l'idée qu'il quittera famille et amis. Chez les croyants, Dieu est souvent pris à partie et on ne lui pardonne guère de mettre ainsi un terme à la vie. La famille et les soignants sont souvent la cible de cette irritation, du ressentiment et leurs répliques ne font qu'envenimer la situation.

- **Le marchandage**

À cette étape, le malade tente d'ultimes efforts pour retarder l'issue finale. Il négocie avec la Providence pour obtenir un sursis de quelques semaines ou de quelques mois, même si la personne est incroyante. On demande, par exemple, de faire tel voyage avant de mourir. Le marchandage est un stratagème pour retarder l'issue finale.

- **La dépression**

La dépression est d'abord une réaction à l'annonce du verdict et par la suite une préparation à l'affrontement du moment critique. Le malade exprime des regrets en regard de son passé. Pleurs et abattement: un deuil préparatoire, le patient se prépare à la mort. Il peut refuser les visiteurs. Comme le dit Elisabeth Kübler-Ross, *quand un mourant ne veut plus vous voir, c'est le signe qu'il a réglé tout ce qu'il avait à régler avec vous; c'est une bénédiction.*

- **L'acceptation**

La lutte est terminée; le patient accepte la fin de sa vie. Souvent fatigué, très affaibli, il sentira davantage le besoin de dormir. Il nourrit moins d'intérêt pour ce qui l'entoure. Cette dernière étape est vide de sentiments, ni heureuse ni malheureuse. Ce point final de la démarche marquerait une victoire, toujours selon Kübler-Ross.

Ce processus de Kübler-Ross peut s'appliquer à diverses situations de perte dans la vie, que ce soit un divorce, un échec financier, un accident avec séquelles importantes, le décès de son chat ou de son chien, etc.

Bien que parfois critiqué, ce paradigme est reconnu dans la plupart des milieux de l'accompagnement des mourants et des soins de confort. Les cinq étapes constituent une démarche que le bénévole doit considérer avec souplesse et intuition, et qui l'amènera à mieux comprendre les diverses réactions des mourants. Mais rien n'est absolu : les malades ne passent pas tous par ces étapes de la même manière et certains peuvent contourner le modèle. Chez les personnes âgées, le modèle varie quelque peu : la protestation au moyen de la régression et des troubles de caractère remplace la rage et la colère, et la dépression fait plutôt place à la tristesse, à la solitude et à beaucoup d'angoisse.

On remarque aussi que le concept de tâches inachevées (*unfinished business*), pierre d'assise de l'enseignement de Kübler-Ross, peut expliquer la difficulté d'en finir avec la vie chez un mourant. Ces problèmes souvent non résolus peuvent être des transactions non réglées, des histoires en suspens, des remords, des regrets, des blessures non cicatrisées, etc. De l'inachevé au plus profond de son être qui retient la personne...

Mort et spiritualité

En abordant le thème de l'accompagnement des mourants, il est difficile de passer sous silence les dimensions religieuse et spirituelle du phénomène. La question est parfois délicate pour un bénévole. Il doit quand même nourrir quelques idées au sujet de certaines valeurs socioculturelles. La religion nous met en présence de valeurs structurées, de croyances qui impliquent la foi en un Dieu ; concept plus large, la spiritualité fait appel à des interrogations et à une recherche du sens de la vie, à une signification transcendante de l'existence humaine. La spiritualité, déclare Colette Gendron, est *une quête de sens qui mène à la liberté, à l'authenticité, à l'ouverture et à la nouveauté, à l'harmonie du corps et de l'esprit, au respect des différences de chaque personne. À mon avis, cette forme de spiritualité prédispose à pardonner et à s'épanouir. Elle aide sûrement à vivre intensément chaque moment présent et à préparer sa mort[5].*

Pour sa part, le Dr Patrick Vinay, médecin au département des soins palliatifs de l'Hôpital Notre-Dame, estime que *le spirituel [...], c'est le cœur de l'homme, c'est son mode relationnel, son amour, sa vie de l'esprit, son sens de la vie. La religion peut en faire partie, mais n'est pas le centre de cette vie spirituelle dont tout être humain est doté[6].*

Il est certain que la croyance en un au-delà atténue souvent les inquiétudes profondes de ceux qui partent et de ceux qui restent, même si les croyances diminuent parfois la capacité à percevoir les choses de façon lucide. L'angoisse et les craintes n'épargnent pas nécessairement ceux qui croient, exposés eux aussi aux incertitudes de la vie après la mort. En bref, le bénévole doit respecter les choix, la culture, les aspirations de chacun et se garder d'intervenir en manifestant ses propres convictions personnelles. Pour vraiment aider ou accompagner, il est souhaitable de se sentir aussi à l'aise face à quelqu'un qui a le sentiment de s'en aller vers le néant, que face à quelqu'un qui a le sentiment qu'il va retrouver ses proches autrefois disparus. Au besoin, le bénévole peut toujours recommander à la personne de rencontrer un conseiller spirituel.

L'euthanasie et le suicide assisté

L'euthanasie et le suicide assisté sont des sujets sur lesquels le bénévole se doit d'avoir réfléchi. Ces concepts sont actuellement au cœur d'un débat de société et nul doute qu'on en parlera davantage, étant donné que les pressions sociales continueront à influencer l'appareil gouvernemental, sommé qu'il sera d'adopter une politique cohérente et unanime. L'euthanasie et le suicide assisté, disons-le tout de suite, sont actuellement interdits par la loi au Québec et au Canada. Dans les faits, plusieurs soutiennent que l'euthanasie avec le consentement du patient se pratique illégalement dans plusieurs pays et au Canada. D'autant plus que l'opinion publique est nettement favorable à l'euthanasie. Selon un sondage Gallup, l'appui de la population canadienne à l'euthanasie est passé de 49 % en 1968 à 79 % en 2002.

Ce sont les deux raisons principales pour lesquelles, à l'occasion de son colloque annuel en 2006, le Collège des médecins du Québec a débattu la question dans le cadre d'une table ronde intitulée : *Aider à mourir, est-ce au médecin de décider ?* Bien entendu, les avis étaient partagés, mais le Dr Hubert Marcoux, chef du département de gériatrie de l'Hôpital Jeffery Hale de Québec et médecin en soins palliatifs, reconnaissait qu'on se dirige vers une légalisation de l'euthanasie. Invité à tirer la conclusion du débat, le Dr Yves Lamontagne, président du Collège, a laissé ses confrères méditer sur ces paroles : *o n doit se souvenir que la mort est la seule certitude de l'être humain. À défaut de la rendre impossible, tentons au moins de la rendre la plus humaine possible*[7].

En France, la dépénalisation de l'euthanasie défrayait en 2007 les manchettes. En effet, *Le Nouvel Observateur* publiait un manifeste, signé par deux mille médecins et infirmières, en faveur de la légalisation de l'euthanasie. Le texte décrit bien l'impasse dans laquelle se trouvent les soignants. *Parce que, de façon certaine, la maladie l'emportait sur nos thérapeutiques, parce que malgré des traitements adaptés, les souffrances physiques et psychologiques rendaient la vie du patient intolérable, parce que le malade souhaitait en finir, nous, soignants, avons, en conscience, aidé médicalement des patients à mourir avec décence*[8]. Et, selon un sondage, près de 80 % des Français voudraient choisir leur mort !

Dans le même sens, Éric Volant, Ph. D., professeur retraité de sciences religieuses, écrivait dans la revue *Frontières* : Si *les douleurs physiques et psychiques persistent quand même et si le malade persiste, lui aussi, dans sa volonté de mourir, l'euthanasie ou le suicide assisté ne constituent pas un geste d'abandon de la part de l'équipe médicale, mais une forme légitime de secours et de délivrance*[9]. Un geste d'humanisme par excellence !

LES MAISONS DE SOINS PALLIATIFS

La nouvelle philosophie des soins palliatifs a mené à des changements radicaux dans la façon de prodiguer les soins aux usagers. La relation médecin-patient était souvent autoritaire et paternaliste et les infirmières avaient parfois des attitudes maternelles envers les malades. À l'heure actuelle, on favorise maintenant la coparticipation et la cogestion avec, comme toile de fond, l'interdisciplinarité. Cela se rapproche de la philosophie du *caring* dont nous avons parlé. Tout le monde travaille dans un climat de collaboration qui repose sur l'information, l'engagement, l'implication et l'ouverture d'esprit, en évitant les restrictions mentales et les demi-vérités. Et tous les efforts cherchent évidemment à fournir aux patients de meilleurs soins, un confort accru et une atmosphère où règnent le respect et la compréhension.

Le Québec compte actuellement quatorze maisons de soins palliatifs. C'est peu, surtout si l'on considère les besoins croissants de la population vieillissante. Elles offrent au total cent lits destinés majoritairement aux adultes atteints d'un cancer. À cela s'ajoutent dix places au centre de jour de la Maison Michel-Sarrazin, à Québec. Ces maisons permettent aux grands malades de vivre les derniers moments de leur vie et de mourir dans un milieu qui rappelle leur domicile. Elles rendent des services qui visent à soulager la douleur et elles permettent de mourrir dans la douceur et la dignité. Le pronostic de vie des résidents ne dépasse pas deux à trois mois. Toutes les maisons sont des organismes à but non lucratif.

Les usagers, pour la plupart en phase terminale de leur maladie, peuvent y recevoir des soins globaux offerts par des équipes inter-disciplinaires dont la composition varie d'une maison à l'autre : on y dénombre des médecins, des infirmières, des travailleurs sociaux, des conseillers spirituels et des préposés aux patients. Les bénévoles y travaillent en grand nombre. En effet, ceux-ci sont la pierre d'assise des maisons de soins palliatifs. *Le bénévolat à la Maison Michel-Sarrazin fait partie intégrante de la Maison et de sa philoso-phie. Sans le bénévolat, la Maison ne pourrait survivre*, comme le mentionne avec pertinence un message en ligne de la Maison.

Les activités des bénévoles sont innombrables : accueil, secréta-riat, soutien téléphonique et informatique, sollicitation, organisation des loisirs, entretien des locaux, etc. Il va sans dire que l'accompagne-ment des patients et le soutien aux proches demeurent le but premier du bénévolat dans ces lieux de dévouement et d'entraide. Les bénévoles assurent une présence auprès des malades, une écoute sans faille, sont attentifs à leurs besoins et leur apportent chaleur et empathie. Ils épaulent la personne, cheminent pas à pas avec elle et peuvent même se retirer à sa demande. Ils sont également là pour les proches que les événements bousculent et perturbent. Ils leur offrent de l'appui, du temps de répit et les encouragent dans leur épreuve. Ils s'occupent enfin du suivi de deuil, si essentiel pour ceux qui restent.

Les maisons de soins palliatifs répondent donc à des besoins humanitaires indiscutables. Certaines sont très connues au Québec comme la Maison Michel-Sarrazin, la Maison Victor-Gadbois à Beloeil, la Maison de Rouyn-Noranda, la Maison Aube-Lumière à Sherbrooke. Les demandes de soins palliatifs sont de plus en plus nombreuses et, parce que la plupart des maisons offrent un petit nombre de lits, il n'est pas exagéré de croire en une insuffisance de services dans ce domaine. Heureusement, de nouveaux projets sont sur le point d'être concrétisés, dont notamment le projet de la Maison de soins palliatifs de Laval qui sera construite au bord de la rivière des Prairies et dont l'ouverture est prévue pour la fin de 2007 ou au début de 2008.

L'ACCOMPAGNEMENT EN FIN DE VIE

Le soutien et l'accompagnement des grands malades prêts à dire adieu à la vie passent avant tout par le « respect » : respect du cheminement du malade, respect lié au savoir-écouter, à la disponibilité, à l'humilité et au sentiment de se rendre utile. On ne connaît pas le malade, on ignore tout de son passé, de ses valeurs et de ses croyances. L'accompagnement prend son sens dans le soulagement de la douleur morale. La qualité de la présence est évidemment essentielle. Une présence compatissante au diapason de la souffrance de l'autre, une présence affective qui apporte réconfort et soutien.

Dans *Accompagner la vie... jusqu'à la mort*, document de formation continue de l'Institut universitaire de gériatrie de Montréal, Jocelyne Lauzon, M. Ps., affirme avec justesse :

Accompagner, ce n'est pas :

- aider la personne à bien mourir ;

- lui faire traverser des étapes ;

- lui faire parler de sa mort ;

- lui faire accepter sa mort ;

- l'amener d'un point à un autre.

Accompagner, c'est :

- accorder mes pas à ceux de la personne ;

- me laisser guider par elle et respecter son rythme ;

- lui faire confiance ; elle a les ressources pour vivre sa mort (même si ce n'est pas de la façon dont je souhaiterais qu'elle le fasse) ;

- lui permettre d'être complètement elle-même jusqu'à la fin ;

- par la parole, le geste et la qualité du regard que je pose sur elle, lui confirmer qu'elle conserve toute sa grandeur et sa dignité d'être humain au-delà de la maladie et de la déchéance physique.

Bien sûr, l'accompagnement sous-entend une ouverture d'esprit à tout ce que vit le grand malade. Par ailleurs, le bénévole doit accepter ses limites dans sa capacité à aider l'autre, à le rassurer ; il doit aussi apprivoiser la crainte de ne pas bien faire, de se tromper, de déranger, de souffrir en présence de celui qui va quitter...

- **La première visite**

Lorsqu'on rencontre la personne une première fois, il est bien entendu que les liens ne sont pas encore tissés. Le malade peut ressentir de l'insécurité et être sur ses gardes. Il ne faut pas s'attendre en général à une grande ouverture de sa part. *Souvent les mourants n'expriment pas clairement leurs désirs ou leurs pensées, et les proches ne savent que dire ni que faire. Il est difficile de découvrir ce qu'ils voudraient essayer de dire... ou parfois de cacher. Eux-mêmes d'ailleurs ne le savent pas toujours. C'est pourquoi la première chose à faire est de décharger l'atmosphère de toute tension, avec autant de naturel et de simplicité possible*[10]. À la première visite, il faut souvent se rapprocher du malade en parlant de tout et de rien, d'un événement de l'actualité ou du beau temps. Cela peut faciliter les premiers contacts.

Une fois que la personne aura perçu chaleur, sensibilité et compassion, la confiance sera établie et elle commencera peut-être à parler et à se confier. Le bénévole doit se rappeler qu'*on ne doit pas parler aux malades de leur mort imminente ou du mourir*, d'affirmer Elisabeth Kübler-Ross, *ni leur annoncer qu'ils souffrent d'une maladie incurable. Je trouve ce comportement antithérapeutique et tout à fait nuisible*. Dans *Le livre tibétain de la vie et de la mort*, Sogyal Rinpoché, le maître bouddhiste, dit que, dans les situations graves de la vie, deux qualités sont très appréciées : le bon sens et l'humour.

Un jugement solide permet de dire les choses qu'il faut au bon moment ou de garder simplement le silence. L'humour doit être manié avec délicatesse et une grande habileté sans quoi il sera d'une impertinence totale. Par ailleurs, Elisabeth Kübler-Ross écrit : *[J'ai] beaucoup apprécié l'humour de mes patients en fin de vie. Avec certains d'entre eux, je ris même de bon cœur. Ils font preuve d'un incroyable sens de l'humour s'ils ont réglé toutes leurs affaires courantes, si l'on n'entre pas dans leur chambre avec une tête d'enterrement et si l'on ne juge pas pervers de s'amuser avec eux. Ceux qui ont fait preuve d'humour au cours de leur existence le conserveront, tout naturellement, dans leurs derniers instants*[11].

Les observations du malade peuvent être de toute nature ; ce peut être des réactions négatives et même de la colère. Cette fureur n'est pas nécessairement dirigée vers l'accompagnant, qui ne doit pas réagir personnellement. Des malades refuseront également tout soutien : « Fermez la porte, laissez-moi tranquille, fichez-moi la paix ! » Tous les gens ne souhaitent pas nécessairement être accompagnés.

Comme l'exprime si bien Marie-Thérèse Demettre, de l'association Accompagner, *la règle d'or de notre action : nous n'intervenons pas dans les soins, nous ne sommes les représentants d'aucun culte, nous ne prenons jamais la place de la famille, accompagnant naturel de la personne en souffrance, mais nous pouvons [...] assurer une présence limitée auprès du malade pour permettre aux proches de se reposer, de souffler un peu, de se resituer.* L'intuition et l'intelligence du moment peuvent être d'un grand secours au bénévole.

- **Les besoins du malade**

En situation de grande vulnérabilité, la personne n'arrive pas toujours à exprimer ses besoins, souvent complexes et parfois contradictoires. Les besoins du mourant sont pourtant bien réels et le bénévole peut, jusqu'à un certain point, tenter de les combler le mieux possible. Le confort, le bien-être, le soulagement de la douleur et de la souffrance morale ne doivent pas occulter les besoins spirituels, le souci de l'information et de la communication, les besoins d'intimité et de respect. Bref, il s'agit d'une prise en charge systématique du malade, d'où l'importance de l'intervention d'une équipe multidisciplinaire.

Le mourant a souvent de multiples questions à poser. Acceptation ou refus de traitement, les conséquences de la prise de morphine, la vérité sur sa maladie, un deuxième avis médical, l'aide des proches ou des intervenants, telles sont quelques-unes des préoccupations de la personne. Bien sûr, le bénévole doit la guider vers les personnes qui peuvent lui répondre.

« C'est tellement difficile, j'aimerais qu'on en termine le plus vite possible ! » La demande d'une mort plus rapide est embarrassante et doit être traitée avec sérieux. Il faut décrypter cette demande : est-ce un besoin d'être davantage soulagé, encouragé, compris, conforté ? L'angoisse, la proximité de la fin, la peur d'être délaissé peuvent expliquer la réaction. Un suivi psychologique ou des réponses adéquates sont souvent en mesure d'apaiser le malade. S'il y a persistance, on se rappellera que l'arrêt des traitements ou de prise de médicaments n'a rien à voir avec une interruption voulue de la vie.

LES PEURS DU MOURANT

Rosette Poletti, psychothérapeute et infirmière en soins généraux et psychiatriques, définit sept grandes craintes que le mourant peut rencontrer pendant l'évolution de la maladie.

- La peur du processus de la mort et de la douleur physique. « Que va-t-il se passer à la fin ? Vais-je beaucoup souffrir ? »

- La peur de ce qui arrivera aux siens. « J'ai une femme, des enfants, des amis, des collaborateurs. Que deviendront-ils ? »

- La peur de perdre le contrôle de la situation. « Si je perds complètement mon autonomie physique et intellectuelle, quelles en seront les conséquences ? »

- La peur de la peur des autres. Le mourant peut deviner jusqu'à un certain point ce que les intervenants ou les proches pensent. Il peut sentir leur peur devant la mort prochaine.

- La peur de l'isolement et de la solitude. « Serai-je seul à mes derniers moments ? Y aura-t-il quelqu'un pour me tenir la main ? »

- La peur de l'inconnu. « Qu'est-ce qui m'attend après la mort ? Dieu existe-t-il ? »

- La peur d'un bilan négatif de sa vie. « Est-ce que j'aurais pu faire mieux ? Si c'était à refaire… »

Le réconfort et la compréhension des intervenants peuvent apaiser ces peurs. Être à l'écoute, encore une fois… pour ventiler les sentiments négatifs.

LA TENDRESSE

La chaleur humaine, quand ce qu'on fait, on le fait pour l'autre, est intimement liée à l'accompagnement. Elle crée de la sécurité chez le sujet, tout en le laissant libre d'agir à sa guise, parce qu'elle n'impose aucune obligation. La gratuité absolue est une qualité indiscutable de l'altruisme. Pourquoi prendre la main, toucher le bras ou les cheveux de l'autre sont-ils des gestes si difficiles, voire impossibles à poser ? Le toucher est presque banni dans nos sociétés occidentales. Pourtant, il s'inscrit dans le cercle de la chaleur humaine et de la tendresse. *Accompagner l'autre*, soutient Denise Badeau, Ph. D., *c'est lui être sensoriellement présent : le regarder, le sentir, être attentif aux sons qui émanent de sa vie, et faire en sorte de discerner la bonne distance, c'est-à-dire celle qui est souhaitée respectivement par l'accompagné et l'accompagnant. On entend parfois un accompagnant dire avec satisfaction : «J'ai été avec lui ou elle jusqu'à la fin, je lui ai tenu la main jusqu'au bout... »*[12] La tendresse ne se quémande pas, elle doit être spontanée et gratuite. La personne n'attend rien en retour.

C'est une disposition de l'esprit et, surtout, du cœur. Toucher un grand malade à la main ou au bras lui apporte soutien et réconfort à un moment où il en a tant besoin. Pour le mourant ou la personne inconsciente, le toucher est un appui qui le maintient dans la réalité. Donner la main devrait être le début de l'accompagnement; tenir la main soulage la solitude, caresser le front ou les cheveux apaise. Nous sommes alors dans l'ordre de la sensibilité morale et psychologique. L'intensité des émotions, dans un climat de tendresse, peut même amener le bénévole à pleurer. Rien de plus normal et de plus acceptable. *Oui, je pleure avec mes patients. Parfois, j'ai les larmes aux yeux en sentant que je vois pour la dernière fois un malade dont je m'occupe depuis longtemps*, de confier Elisabeth Kübler-Ross.

La tendresse facilite la compréhension mutuelle des personnes. Précédant les mots, elle véhicule des émotions indicibles. Elle appartient au langage non verbal. Être tendre, c'est susciter la compréhension de l'autre, parfois sans rien dire. Elle peut simplement signifier : «Je suis là pour vous!» Le besoin de tendresse dans les relations humaines est universel.

La maîtrise de la douleur

Certaines maladies graves peuvent causer une douleur très vive. Cette douleur peut être obsédante, sans relâche, parfois très aiguë, présente le jour et la nuit, insupportable comme la douleur que certains cancers provoquent. Ce syndrome a été nommé en anglais «*total pain*» (souffrance totale) par Cecily Saunders, médecin anglaise experte en soins palliatifs. De telles douleurs requièrent un soulagement rapide sans quoi l'équipe des soignants et les bénévoles pourront difficilement intervenir. Le soulagement de la douleur est un préalable à l'accompagnement. Un abcès, une fracture à la cheville, un mal de tête ou une rage de dents peuvent fortement embrouiller l'esprit. Or, les grands malades sont souvent victimes de maux terribles. Il est donc de première importance de faire en sorte que ces souffrances n'obnubilent pas leur conscience.

La condition douloureuse du malade ne doit pas échapper au bénévole. Aussi certaines mesures sont-elles à prendre[13] :

- S'approcher de la personne malade avec délicatesse ;

- En début de visite, s'informer : « Comment vous sentez-vous aujourd'hui ? » ;

- Être attentif aux plaintes de la personne malade. L'écouter sans porter de jugement et sans chercher à minimiser sa douleur ;

- Être attentif aux expressions faciales, aux gestes, à la posture et aux mouvements de la personne. Rapporter à l'infirmière ou aux proches de la personne vos observations de douleur ou d'inconfort chez la personne malade ;

- Encourager la personne malade à parler de ses douleurs et inconforts à son entourage, au médecin et à l'infirmière. L'encourager à prendre ses médicaments tel que prescrit.

Bien entendu, vient un moment où le malade peut décéder. La mort d'un être vivant, nous dit la biologie, est l'arrêt irréversible des fonctions vitales. Les philosophes affirment que c'est « l'état d'où l'on ne revient pas ». Il arrive parfois que le bénévole soit témoin de ces décès et il importe qu'il sache ce qui se passe en général. Après un état comateux, période plus ou moins longue où le malade, sans réaction, respire souvent difficilement, la bouche grande ouverte, avec l'aide parfois d'une alimentation en oxygène, le premier signe clinique de la mort est l'arrêt cardiorespiratoire : la respiration n'est plus perceptible et il y a absence de pouls. Dans les secondes qui suivent l'arrêt cardiaque, la personne peut laisser échapper des râlements et ses membres peuvent trembler, phénomène provoqué par la libération du calcium. L'arrêt du fonctionnement cérébral s'ensuit. S'enchaîneront une pâleur extrême, une dilatation des pupilles, un abaissement graduel de la température corporelle, etc. S'il est seul en présence de la personne décédée, le bénévole doit aviser l'infirmière ou le médecin.

La famille et les proches

La finitude de la vie crée de multiples ruptures au sein de la famille, des amis, des connaissances, etc. Compte tenu de plusieurs facteurs, les professionnels de la santé approcheront la personne dans un contexte de relations faciles ou difficiles. Le patient se plaindra de telle infirmière ou voudra revoir souvent tel préposé aux patients. Il exprimera peut-être maintes récriminations contre sa famille. Le bénévole doit exercer beaucoup de doigté dans ces méandres des rapports humains : la coordination et la concertation vaudront leur pesant d'or, de même que l'anticipation des crises. Aussi pourra-t-il suggérer, à certaines personnes, de consulter un travailleur social, un psychologue ou un conseiller en pastorale.

Les réactions et les besoins de la famille sont souvent fort diversifiés. Certains diront toutes leurs inquiétudes en posant une foule de questions : Peut-il manger ? Souffre-t-il ? Peut-on le toucher ? Nous entend-il ? Quand va-t-il mourir ? Des familles refuseront l'éventualité de la mort alors que d'autres témoigneront de difficultés relationnelles entre leurs membres. Des proches, plongés dans l'insécurité et la crainte, feront des visites brèves, appréhendant les questions qui peuvent leur être posées. Et bien des gens demeureront désemparés au moment du décès.

Les besoins des proches doivent être pris en considération par la personne malade et l'équipe des soins. Ils ont droit à l'information concernant la progression de la maladie et le pronostic ; ils peuvent s'exprimer et agir sans être jugés. On doit les écouter, les réconforter, tout en leur apportant du soutien et de la solidarité.

La famille et les proches peuvent aider beaucoup le mourant à traverser l'épreuve ultime. Être là, manifester leur affection, leur attachement, leur soutien et leur tristesse, voilà ce qu'ils peuvent faire. Mais il arrive parfois que l'amertume, les rancunes, la jalousie, les souvenirs malheureux viennent gâter les relations familiales. Le climat peut alors accentuer la détresse et la souffrance morale des personnes en cause. La famille s'éloigne de la personne aimée avec qui elle a vécu. On peut même constater une désolidarisation des proches avec le mourant : après tout, la famille doit survivre, le mourant doit disparaître, la vie doit continuer... *Il n'existe pas,* affirme le Dr Trent Parsons, *de lignes de conduite pour transiger avec les familles en deuil et certainement aucune méthode établie pour trouver les meilleures paroles à dire ou les meilleurs gestes à faire pour réconforter les familles*[14].

Dans cette dynamique relationnelle, il ne faut pas perdre de vue que le langage non verbal occupe une place prépondérante : les gestes, les attitudes, la position du corps, les mouvements secs ou détendus, la profondeur du regard expriment à leur façon les sentiments des personnes. On doit apprendre à observer et à décoder si l'on veut bien saisir les messages adressés à l'entourage. Le silence des mourants, lui, est aussi une forme de communication qu'il n'est pas facile d'accepter dans la relation d'aide : il est gênant et provocant et marque les limites des intervenants et leur impuissance. Le silence commande la simplicité, la modestie et l'authenticité.

Par ailleurs, avec beaucoup de pertinence, le Dr Clément Olivier avoue :

> Le pire, c'est de se voir confier des secrets qu'on ne peut pas partager, des confidences troublantes, des missions périlleuses. Au point d'en perdre son propre équilibre, au point d'avoir peur d'en trop savoir ou pas assez dans certains cas. Le meilleur, c'est de ne pas être seul dans l'accompagnement, c'est de pouvoir partager ses peurs, ses craintes, son sentiment de ne pas être à la hauteur. C'est être rassuré sur le geste accompli, sur le moment choisi, sur la parole dite, sur la réponse donnée[15].

La dynamique relationnelle est donc au cœur de l'accompagnement et, qui que nous soyons, il est certain que nous nous efforçons d'agir pour le mieux dans ce grand territoire des relations humaines. Le bénévole peut jouer un rôle de soutien de premier plan auprès du mourant, de ses parents, de ses frères, de ses sœurs ou des amis ; ces gens veulent être écoutés avant tout.

LE DEUIL

On ne peut traiter de l'accompagnement des mourants sans parler du deuil qui frappe les proches, les amis, les connaissances. Vivre la perte d'un être cher constitue sans doute une des plus profondes épreuves de la vie. Le témoignage émouvant de Mme Dominique Bertrand, animatrice de télévision et porte-parole de la Maison Monbourquette, qui se spécialise dans l'appui aux endeuillés, mérite considération :

> Le 19 février 1998, à 13 h 16, ma vie a basculé. Jean, mon amoureux, venait de mourir d'un infarctus du myocarde à deux minutes de la fin d'un match de squash. Il avait quarante-neuf ans. En moins de temps qu'il n'en faut pour le dire, mon existence s'est transformée en véritable cauchemar. J'ai cessé de manger, j'ai cessé de dormir. J'avais l'impression d'avoir été traversée par un boulet de canon. Ma vie n'avait plus de sens. Je ne trouverai jamais de mot assez juste ni assez fort pour parler des trois années qui ont constitué mon deuil. J'ai pleuré toutes les nuits pendant un an et demi. Ce fut un deuil lent et laborieux, profond et intense, à l'image de l'amour que j'avais pour Jean. Pourtant, la vie n'est-ce pas cela, naître et mourir ? Il y a dans mourir et dans le fait de voir mourir ceux qu'on aime un aspect si naturel... Pourtant les humains ne s'y habituent pas. Perdre fait toujours aussi mal ; particulièrement dans une société où on s'évertue à vivre comme si nous étions éternels. On refuse de regarder la mort en face et les endeuillés n'ont droit de cité que pendant quelques semaines tout au plus. [...]

Les êtres en deuil ne sont pas populaires. Ils ne sont pas *glamour*. Ils ne font pas partie de ceux qu'on invite à un dîner entre amis. Ils n'ont pas le cœur à rire. Ils ont, comme on dit, la mort dans l'âme[16].

Si notre société accepte mal la mort, il est bien clair qu'elle ne nourrit pas tellement de sympathie pour le deuil.

Le deuil, avant tout synonyme de douleur et de tristesse, constitue l'ensemble des réactions physiques et psychoémotives qui surgissent lors de la perte d'une personne aimée, d'un animal, d'un objet ou d'une valeur qui nous sont chers et précieux. Autrefois, on parlait de deuil uniquement lorsqu'il s'agissait du décès d'une personne ; le mot « deuil » possède une acception beaucoup plus large aujourd'hui. Par exemple, Bernard Landry a vécu un véritable deuil lorsqu'il a quitté le poste de chef du Parti québécois et de député de Verchères, en juin 2005. Chantal Renaud, sa femme, confia à Josélito Michaud : *Bernard assistait à ses funérailles à la télévision, et moi, je pleurais à chaudes larmes. Il ne manquait plus que le cercueil.* La disparition amène donc la personne endeuillée à rompre surtout avec une présence et des habitudes de vie. Faire son deuil, selon l'expression connue, signifie avant tout accepter une perte.

Trois phases caractérisent en général le processus du deuil.

- La première phase est évidemment constituée d'un choc, surtout si la personne décède soudainement. On ne peut y croire et l'impact est brutal devant cette impuissance face à la finitude de la vie. L'effet de sidération apparaît moindre si la personne était gravement malade.

- Assez souvent suivent un état dépressif ainsi qu'un repli social. Cette période est cruciale pour l'endeuillé, qui peut exprimer des sentiments de colère ou de culpabilité selon qu'il se sente abandonné ou fautif de ne pas en avoir assez fait pour le disparu. L'insomnie et l'anorexie peuvent alors se manifester. Si le corps de la personne décédée est introuvable, le deuil peut devenir beaucoup plus pénible : ne possédant aucune preuve matérielle du décès, l'endeuillé peut garder espoir de la retrouver. D'autre part, le deuil peut nuire temporairement au travail ou à la profession, de même qu'aux relations interpersonnelles.

• La dernière phase correspond à l'acceptation de la perte dans un contexte de reconstruction, de détachement et de guérison. La personne retourne à ses préoccupations normales et à ses intérêts habituels. Une vision spirituelle de la vie peut soutenir l'endeuillé s'il croit en un monde originel, sous une autre forme, dans un autre temps, où il pourra retrouver l'autre.

Assumer le deuil d'un être cher demeure sans doute l'une des expériences les plus intenses et les plus éprouvantes de la vie. Sur l'échelle du stress de Holme et Roche, le décès d'un conjoint arrive au premier rang. Le deuil a un effet déstabilisant pour la santé ; des complications ou des maladies chroniques latentes peuvent apparaître après le traumatisme et des recherches ont souligné une surmortalité significative chez les personnes en deuil, notamment chez les hommes d'un certain âge. Un deuil normal dure en moyenne deux ans, eu égard à l'intensité de la relation avec l'être disparu : un temps pour exprimer pleinement la souffrance et les émotions qui s'y rattachent. La famille et les amis peuvent alors apporter un soutien très appréciable.

Janette Bertrand, à qui Josélito Michaud demandait comment elle faisait pour traverser un deuil, explique : *Il n'y a qu'une recette : vivre le deuil le temps que ça prend. Un deuil, ça dure un an ou deux. Les gens voudraient que le lendemain de la perte d'une personne aimée, l'endeuillé soit de bonne humeur, qu'il ne pleure pas et surtout qu'il tourne la page*[17].

Certains deuils pathologiques peuvent néanmoins entraîner des troubles anxieux et de la dépression. Avec l'aide des proches, le recours à une consultation professionnelle ou à un organisme comme la Maison Monbourquette, on peut s'en remettre plus facilement. Il n'est pas conseillé de prendre des décisions importantes durant un deuil, ou immédiatement après : vendre sa propriété, déménager ou modifier grandement son mode de vie. Il faut attendre que l'orage des émotions passe... et décider ensuite.

DES PIÈGES POUR LES ACCOMPAGNANTS

Le bénévole auprès des mourants exerce une tâche parfois difficile. L'expérience aidant, il pourra souvent trouver des solutions aux diverses situations problématiques auxquelles il doit faire face. Il devrait toutefois éviter les pièges dont parle Louise Dicaire[18] :

- Vouloir répondre à tout ;

- Avoir le besoin de tout savoir, de tout dire ;

- Être tout pour l'autre ; avoir de la difficulté à se faire remplacer par un collègue ;

- Faire des investissements excessifs ;

- Devenir un technicien de l'accompagnement en suivant à la lettre les principes de Kübler-Ross ;

- Être trop impliqué et trouver difficile de se retirer face à l'arrivée d'un membre de la famille au dernier instant.

Pour contourner ces pièges, d'autres qualités pourront lui être précieuses. S'il est vraiment à l'écoute de la personne, qu'il lui manifeste un respect profond et qu'il suit son cheminement avec fidélité, nul doute que son travail sera conforme aux principes de base de l'accompagnement. Mᵐᵉ Renée de Lorimier, bénévole d'expérience et responsable de l'affectation des accompagnants à l'Institut universitaire de gériatrie de Montréal, décrit succincte-ment le profil du bénévole idéal : *Je le vois d'abord en pleine maturité d'esprit, de bon jugement, discret et respectueux. Il a déjà côtoyé la maladie et la mort de proches. Il a peut-être fréquenté des gens âgés, ce qui l'a sensibilisé à leurs pertes physiques ou mentales. Il est donc compatissant, généreux de cœur et libre de préjugés. J'ajouterais qu'il a du tact et de la sociabilité, car il devra aussi accompagner parfois les parents bientôt dans le deuil.*

Le ressourcement

Accompagner les mourants n'est pas une sinécure; ce travail met les émotions à rude épreuve. L'épuisement peut fondre sur les bénévoles qui sont trop engagés. L'équipe des soignants et des bénévoles peuvent apporter un soutien qui n'est pas à négliger. Ce travail peut se faire avec le concours d'une personne-ressource. Les groupes de soutien, qui se déroulent sur une base régulière mais où la présence est facultative, constituent un espace d'échanges, un temps de partage pour permettre aux bénévoles de réfléchir à leurs interventions et à leur vécu. Ces réunions, qui sont souvent animées par un psychologue, donnent lieu à des questions, des prises de conscience, des réflexions diverses et des décodages de vécu. Comme tout être humain, il importe pour les accompagnants de pouvoir se confier et de raconter ce qu'ils ont vu et entendu; en exprimant leurs émotions, ils apprendront à lâcher prise et deviendront plus disponibles envers les malades.

Comme le souligne très bien Clément Olivier, M.D.,

L'engagement doit aussi pouvoir, à l'occasion, s'échapper dans le rêve pour contrer la réalité du dépérissement, de l'angoisse, de la peur, de la mort. Il doit rêver à la vie pour faire face courageusement à la mort. L'engagement doit entretenir et nourrir ses rêves pour cultiver l'espérance, pour donner un ciel à l'enfer. Il doit s'abreuver à la source de la vie. Il doit se rapprocher de ceux et celles qui vivent pleinement dans l'inconscience de la mort pour alléger le grave. Il doit côtoyer ceux et celles qui célèbrent la vie par le rire, par le chant, par la danse, ceux et celles qui répondent à la vie par la vie[19].

Le bénévole qui garde cela à l'esprit puisera en lui-même la force, la quiétude, le courage et la persévérance nécessaires à l'accompagnement des mourants.

Il va sans dire que le bénévole retire beaucoup du don qu'il fait de soi-même auprès des personnes en fin de vie. Son implication communautaire l'oblige souvent à une remise en question de ses propres valeurs et à une prise de conscience de ce qui est essentiel dans son quotidien. Il s'ouvre davantage à l'authenticité, au respect, à la véracité, à la spontanéité et à l'amour de son prochain. D'où cette métamorphose que l'accompagnement engendre parfois chez ceux qui s'adonnent à l'altruisme.

NOTES

1. « Les confessions de Jeanne Moreau », propos recueillis par Mylène Tremblay, *Châtelaine*, janvier 2007 [en ligne]. [http://www.chatelaine. qc.ca/vivremieux/article.jsp?content=20061205_155029_4556&page= 4] (24 mai 2007)
2. Christophe ANDRÉ, *Vivre heureux, Psychologie du bonheur*, Paris, Odile Jacob, 2003.
3. Sogyal RINPOCHÉ, *Le livre tibétain de la vie et de la mort*, Paris, Éditions de la Table ronde, 1993.
4. Colette GENDRON, « Pour une mort plus humaine », *Revue Notre-Dame*, mars 2003 [en ligne]. [http://www.revue-rnd.qc.ca/img4/pdf/ 0303e.pdf] (24 mai 2007)
5. Colette GENDRON, « Pour une mort plus humaine », *Revue Notre-Dame*, mars 2003, p. 20 ; et André LEDOUX, *Vivez mieux, vivez plus vieux, Guide pour une vie en santé*, Boucherville, Les Éditions de Mortagne, 2006. Voir les pages 185 *sq.* où j'aborde la notion de vie spirituelle.
6. Patrick VINAY, « Le suicide assisté est un abandon du malade à son sort », Forum, vol. 40, n° 27, 10 avril 2006 [en ligne]. [http://www.iforum. umontreal.ca/Forum/2005-2006/20060410/AU_5.html] (24 mai 2007)
7. Éric WHITTOM, « Débat sur l'euthanasie : les médecins sont invités à donner leur avis », *L'actualité médicale*, 2 juin 2006, p. 10.

8. « Nous, soignants, avons aidé des patients à mourir... », *Le Nouvel Observateur*, n° 2209, 8 mars 2007 [en ligne]. [http://hebdo.nouvelobs.com/p2209/articles/a335110.html] [24 mai 2007)

9. Éric VOLANT, « L'accompagnement des mourants. Aux limites du sens : une éthique du seuil », *Frontières*, vol. 17, n° 1, automne 2004, p. 83-86.

10. « Gérontologie en institution » [en ligne]. [http: //membres.lycos.fr/papidoc/30accompsavetre.html] (15 novembre 2006)

11. Elisabeth KÜBLER-ROSS, *Accueillir la mort*, Monaco, Éditions du Rocher, 1998, p. 163.

12. Denise BADEAU, « De l'intimité corporelle dans l'accompagnement », *Frontières*, vol. 17, n° 1, automne 2004, p. 64.

13. FONDATION PALLIAMI, *Manuel des bénévoles, Programme de formation destiné à des bénévoles en soins palliatifs*, Montréal, 2006, p. 52.

14. Trent PARSONS, « Réflexions sur la mort », *Le médecin de famille*, avril 2006, [en ligne]. [http://www.cfpc.ca/cfp/2006/Apr/vol52-apr-college-2_fr.asp] (30 mai 2007)

15. Clément OLIVIER, « L'engagement en soins palliatifs, écueils et passages », *Les cahiers de soins palliatifs, Les proches*, vol. 2, n° 1, 2001, p. 97.

16. Dominique BERTRAND, « La mort en face », *La Presse*, 14 août 2006.

17. Josélito MICHAUD, *Passages obligés*, Montréal, Les Éditions Libre Expression, 2006.

18. Louise DICAIRE, « L'accompagnement », *Le chant du cygne*, Montréal, Éditions du Méridien, 1992, p. 148.

19. Clément OLIVIER, *op. cit.*, p. 103.

CHAPITRE 7

À l'écoute des autres

Foncièrement à l'écoute d'autrui, le bénévole ne peut faire autrement que de recueillir des témoignages de toutes sortes, des paroles qui nous font parfois sourire, d'autres capables de nous arracher les larmes. Toujours, il faut écouter : l'expérience humaine est abyssale. Combien de personnes sont malheureuses, voire malades, parce qu'elles n'ont pas été entendues dans leur vie. L'émotion non écoutée, non dite, ne disparaît pas ; ce qui ne s'exprime pas, s'imprime...

Vivre, de si bien écrire Colette Portelance, *c'est sentir dans son cœur et dans son corps la joie, le plaisir, la satisfaction, la fierté, le bonheur et aussi la tristesse, la peine, l'agressivité, la colère, la jalousie, la douleur. Vivre, c'est se donner le droit d'écouter et d'exprimer, de façon responsable, les émotions et les sentiments qui nous habitent. Le vécu d'un être humain constitue sa réalité. L'écouter, c'est le respecter et le libérer*[1]. Ce qui démontre bien la valeur primordiale de la communication pour les malades et les aînés qui ont des choses à dire et à raconter.

Les séquelles des accidents vasculaires cérébrales, les handicaps liés à l'arthrite, les suites du cancer, une surdité soudaine, une moins bonne vision ; ces pertes touchent les malades, quel que soit leur âge. Quelles leçons, quelles réflexions, quelle philosophie de la vie ces témoignages ne révèlent-ils pas !

Les propos recueillis dans ce chapitre illustrent indéniablement le rôle essentiel de confident que peut jouer le bénévole. Ces nombreux témoignages de personnes que nous avons écoutées[2], parfois brièvement, mais toujours avec attention et respect, illustrent bien les émotions et les pensées parfois étonnantes qui animent les personnes avec lesquelles les bénévoles échangent quotidiennement.

Un jour à la fois

Atteinte d'un cancer du sein, Mme Leroy a reçu un diagnostic pénible de la part de son oncologue : « Vous en avez pour trois mois à vivre et il faudrait vous soumettre à la chimiothérapie. » Elle refuse le traitement.

Cinq ans plus tard, quand je la rencontre à l'hôpital, elle me confie que les ressources du corps humain défient souvent les opinions médicales et qu'il importe de vivre un jour à la fois dans des situations de graves maladies.

Elle continue de vaquer à ses occupations et espère vivre heureuse encore longtemps.

M. Guay, le bon vivant

J'entre dans la chambre et M. Guay m'accueille avec un large sourire ; sa femme est auprès de lui.

« Comment allez-vous, ce matin ? » lui dis-je.

« Je suis heureux, je dois quitter l'hôpital cet après-midi et je m'en vais mourir chez nous ! »

« Pardon ? Ai-je bien compris ? »

« Oui, j'ai un cancer des poumons, c'est incurable et j'en ai pour quelques semaines. Mais, voyez-vous, Monsieur, j'ai fait une belle vie ! À seize ans, j'ai commencé à travailler dans un bar où j'ai appris à fumer et à boire. À vingt ans, je me promenais en décapotable. Ce que j'ai fait toute ma vie. J'ai eu du plaisir et, aujourd'hui, à soixante-douze ans, c'est terminé ! Je mourrai sans amertume, ma femme n'est pas dans le besoin, je n'ai pas d'enfant… »

Je garderai longtemps en mémoire le visage jeune de Jean-Guy, sa forte chevelure blanche et son sourire désarmant.

Une religieuse au terme du voyage

Sœur Savard est couchée dans son lit, heureuse de me voir. Son épanouissement est indéniable.

« Vous savez, j'ai eu une vie pleine de bonnes choses ! Je ne crois pas que je pourrai m'en remettre. Advienne que pourra ! »

Je lui offre des services et elle accepte un verre d'eau.

« Vous êtes un ange ! » me dit-elle.

Je la quitte, non sans un pincement au cœur, et je suis gratifié de ses paroles.

Nous ne sommes pas allées à la messe !

En ce dimanche après-midi, Mme Hébert et Mme Ludovic sont assises avec moi autour de la table dans la petite cafétéria. À quatre-vingt-quatorze ans, Mme Hébert est vive d'esprit, ne souffre d'aucune dépendance physique et, plus jeune, Mme Ludovic a échappé à deux cancers. Ce sont de bonnes amies qui se rencontrent régulièrement.

Nous parlons de tout et de rien lorsque Mme Hébert dit soudainement : « Vous savez, monsieur, nous ne sommes pas allées à la messe ce matin ! »

Je feins l'étonnement : « Vous n'allez pas à la messe ? »

« On ne croit pas à ça ; on ne croit à rien », me confient-elles.

Et de m'empresser de leur poser la question : « Qu'arrivera-t-il après votre mort ? »

« Rien ! » affirme Mme Ludovic, avec l'acquiescement de Mme Hébert.

Cette dernière précise que nous étions dans l'espace, avant de naître, sous une forme quelconque et que nous retournerons dans l'univers à notre mort, notre corps épousant l'apparence d'un flocon ou d'une particule, sans vie intellectuelle, mû seulement par une énergie cosmique.

Sans le savoir, Mme Hébert rejoint la théorie d'Elisabeth Kübler-Ross voulant que, après notre mort, nous devenions des *structures énergétiques* qui évoluent dans l'espace, ce que nous étions avant notre incarnation.

M. Camille, celui qui aimait écrire

Comptable de profession, M. Camille était devenu chef d'une entreprise qui avait connu un essor considérable. Toute sa carrière durant, en plus de gérer d'une main de maître ses affaires, il avait aimé écrire, son journal, des lettres, des textes divers ; l'écriture représentait pour lui une grande source de joie et de satisfaction.

Un jour, dans sa soixante-quinzième année, M. Camille est victime d'un accident vasculaire cérébral. Momentanément paralysé, il est hospitalisé et, grâce à de bons soins, il recouvre l'usage de ses membres et une bonne partie de ses facultés intellectuelles. Son écriture demeure toutefois déformée, presque illisible, et il arrive mal à fixer sa pensée sur papier.

Un jour, lors de la réadaptation, l'ergothérapeute lui dit :

« Monsieur, vous avez récupéré la parole, la mémoire, mais vous ne pourrez jamais écrire de nouveau. Employez votre énergie à d'autres tâches. »

M. Camille poursuit cependant ses efforts pour s'exprimer par écrit ; il copie de petits textes puisés dans les journaux sans faire de réels progrès.

Un samedi matin, un de ses copains vient le voir. Il lui demande de prendre en note quelques renseignements. Ô miracle ! M. Camille écrit comme il écrivait, il a retrouvé sa calligraphie de jadis... et sa pensée s'articule mieux.

La ténacité de M. Camille a sans doute contribué à restaurer certaines connexions cérébrales qui lui permettent d'exprimer sa pensée par écrit comme il l'a toujours fait. Et avec quel bonheur raconte-t-il cet épisode de son existence.

M. Luciano et l'ennui

Lorsque je le rencontre pour la première fois, M. Luciano, paraplégique, est en attente d'hébergement dans un centre hospitalier. Il se soucie de l'alimentation en électricité de son fauteuil roulant et me demande :

« Combien de temps pourrai-je me déplacer sans recharger les piles ? »

« Je l'ignore, mais ne vous inquiétez pas, le rechargement peut se faire durant la nuit, pendant que vous dormez. Vous ne serez pas longtemps privé de votre fauteuil. »

Il m'annonce alors qu'il s'ennuie beaucoup.

« L'ennuyance [*sic*], me confie-t-il, ce n'est pas bon pour le cœur et la santé ! »

« Avez-vous des membres de votre famille ou des amis qui vous visitent ? » lui demandai-je.

«J'ai quatre frères, mais un seul vient me voir… et je n'ai pas de famille. Je m'ennuie tellement.»

Dans le centre hospitalier où réside temporairement M. Luciano, les activités sont rares, contrairement aux centres d'hébergement qui ont des programmes journaliers d'activités. Taciturne, peu enclin à aller vers les autres, il peut toutefois se déplacer vers le grand balcon à l'extérieur ou visiter la chapelle.

«Je m'ennuie et je braille souvent, vous savez», me répète-t-il.

«Que pourriez-vous faire pour vous désennuyer?» lui dis-je.

«Je marchais et je faisais du vélo avant ma paralysie, c'est surtout ce que je faisais et je n'ai plus de jambes…»

Je tente de faire comprendre à cet ex-ouvrier de la construction qu'il peut se déplacer encore grâce à son fauteuil et que, dans le centre d'hébergement où il ira, il trouvera des activités qui lui conviendront. Et je le quitte, malheureux, en lui disant que je le verrai de nouveau dans quelques jours…

Mon cœur est un violon

Mme Salvail s'exprime avec vivacité à quatre-vingt-huit ans, bien qu'elle éprouve de la difficulté à marcher et à se rappeler les choses… Elle fait néanmoins des promenades avec l'aide de bénévoles. Ce jour-là, je l'accompagne quand elle se met à fredonner *Mon cœur est un violon*. Je lui dis que c'est une belle chanson française chantée par Lucienne Boyer, qui fut très populaire au Québec. Et, à ma grande surprise, Mme Salvail se met à chanter les paroles:

Mon cœur est un violon
Sur lequel ton archet joue
Et qui vibre tout du long
Appuyé contre ta joue

Tantôt l'air est vif et gai
Comme un refrain de folie
Tantôt le son fatigué
Traîne avec mélancolie…

Et de la féliciter de se souvenir ainsi de toutes les paroles d'une immortelle chanson d'amour !

Mme Larivière et la force morale

En traitement dans une unité d'hémato-oncologie, Mme Larivière est aux prises avec un cancer du côlon. Toute souriante, bien vêtue avec un chapeau qui lui va à ravir, elle aime parler de son expérience et des séances de chimio et de radiothérapie qui ont parfois des effets indésirables et qui la rendent très malade. Elle devra même être hospitalisée car son système immunitaire est presque complètement à plat.

« Et le moral est bon ! me dit-elle. Je sais que je vais m'en remettre et que je pourrai continuer ma vie ! »

« C'est la meilleure attitude à afficher devant la maladie, répondis-je. La pensée positive peut faire beaucoup pour la guérison et se laisser abattre n'est guère valable. »

Je lui demande alors si elle fait de la visualisation. Cette technique est maintenant bien connue des personnes atteintes de maladies graves.

« Oui, me répond-elle. Tous les jours, j'imagine le combat des mes globules blancs contre les cellules cancéreuses. L'important, c'est de garder le moral, d'aimer la vie et de se dire qu'on guérira bientôt. Je vais grandir et cheminer dans ma croissance personnelle. »

Je quitte Mme Larivière en lui souhaitant bonne chance et en l'encourageant à conserver sa bonne attitude.

Des bleus à l'âme

Atteint d'une maladie respiratoire, M. Vermette a été hospitalisé la veille de ma rencontre avec lui.

Lors de ma visite, il s'empresse de me déclarer d'une voix faible : « Il faudrait que je soigne mon âme. »

Je m'approche et lui dit : « Vous auriez besoin d'aide ? »

« Oui, juste avant d'entrer à l'hôpital, je me suis disputé avec ma femme. Elle a peur de me perdre… Je suis malheureux, j'ai mal à l'âme, je voudrais voir l'aumônier. »

« Oui, je m'occupe de votre demande. Et donnez donc un petit coup de fil à votre femme ce matin ! »

« Vous avez raison, c'est une bonne idée, je vais l'appeler pour qu'elle me pardonne ! » Il m'avoue alors qu'il a déjà eu un terrible accident de voiture qui l'avait laissé en pièces… et qu'il avait pu voir à ce moment les portes du ciel. Déjà, M. Vermette se sent mieux dans sa peau. Lorsque je le quitte, il sourit.

« Je suis prêt… »

Très volubile, M. Fallu est un grand nerveux, fort inquiet. Il souffre d'un cancer généralisé.

« J'ai très peur de la chimiothérapie, me dit-il, j'y pense sans arrêt. On doit commencer le traitement la semaine prochaine. »

Je le rassure en lui expliquant que les doses de chimio sont maintenant mieux adaptées aux besoins et que les effets indésirables sont souvent amoindris, en oubliant toutefois de lui demander ce qui lui fait peur exactement.

« Vous savez, mes chances de survie sont de 10 %. Le médecin croit pouvoir prolonger ma vie avec le traitement. »

« Vous n'avez rien à perdre… la chimio pourrait vous être bénéfique. »

« Quoi qu'il arrive, je suis prêt à aller de l'autre côté... »

Je souhaite bonne chance à M. Fallu en lui disant que je le reverrai la semaine prochaine.

La longévité, mais à quel prix ?

Âgé de quatre-vingt-dix ans, M. Émile est relativement en forme, même s'il a maigri depuis quelque temps. Il s'exprime avec clarté, possède un bon sens de l'humour et se déplace parfois en fauteuil roulant pour ménager ses jambes. Il m'explique qu'il a été fonctionnaire fédéral et qu'il a même dirigé une grande entreprise.

Au centre d'hébergement, il s'ennuie et se plaint qu'il peut parler à quelques personnes seulement, car les autres semblent « perdues » ou incapables de comprendre quoi que ce soit.

« Je voudrais retourner à la maison. L'une de mes filles voudrait s'occuper de moi, mais l'autre est en désaccord. Je serais capable de faire beaucoup de choses chez nous. Ah ! ce n'est donc pas drôle de vieillir ! »

Je lui réponds : « Vieillir, c'est la seule façon de vivre longtemps. »

Et, lui, de répliquer avec sagesse : « Vivre longtemps, mais pas nécessairement heureux ! »

Je suis resté bouche bée momentanément.

L'influence de la douceur

Debout près du poste d'accueil de l'unité 2 du centre d'hébergement, j'échange avec une préposée aux patients. Tout près se trouve Mme Laurent, une résidente en fauteuil roulant.

Soudain, elle s'écrie, furieuse : « C'est une prison ici, on ne peut pas sortir ! Je voudrais donc sacrer mon camp. Voudriez-vous m'aider à partir ? »

Avec humour, je lui réponds : « Je ne peux pas, je suis à bicyclette. » Et je la quitte avec un sourire pour aller voir d'autres résidents qui m'attendent.

Quelques jours plus tard, je revois Mme Laurent et je la salue avec un beau sourire. Son visage s'illumine. Je lui dis que je viendrai la chercher, si elle est d'accord, pour assister à un concert maison. Et d'une fois à l'autre, les relations deviennent excellentes entre elle et moi. Finie l'agressivité, du moins lorsque je la rencontre.

L'humour, la douceur, le sourire apaisent souvent l'âme des personnes âgées.

« Je suis tannée… »

Dans le corridor du centre hospitalier, Mme Deguire marche vers moi ; je la salue et lui demande comment elle va.

« Non, ce n'est pas une bonne journée… Je ne vais pas bien, me confie-t-elle. Je suis *tannée* de venir à l'hôpital pour recevoir mes traitements de chimio. »

Âgée de quatre-vingt-deux ans, Mme Deguire se déplace ainsi, mensuellement, depuis quelques années : elle lutte contre un cancer colorectal.

« Le traitement est long, poursuit-elle. L'infirmière éprouve des difficultés à poser mes intraveineuses… Arrivée à la maison, je suis faible, je n'ai plus d'énergie, j'ai constamment la diarrhée et ma qualité de vie laisse à désirer. On ne fait que me prolonger. »

Et de lui glisser doucement : « Je vous comprends très bien. »

« Savez-vous, continue-t-elle, je pense que le cancer est souvent dû à un choc. J'ai perdu mon mari après quarante-huit ans de vie commune. Ça m'a beaucoup bouleversée ; nous étions très unis et nous faisions une foule de choses ensemble. »

Je confirme ce qu'elle pense en lui disant que certaines théories existent là-dessus, théories prises de plus en plus au sérieux par la communauté scientifique.

Je quitte Mme Deguire et je penserai à elle pendant plusieurs heures. J'ai des remords, j'aurais voulu passer plus de temps avec elle pour l'encourager davantage...

Mme Bienville et son chat Cognac

La septuagénaire me montre les photos de sa famille dont elle est très fière : de grands enfants qui gagnent bien leur vie et de petits-enfants tout à fait charmants. J'ai également droit à la photo de son chat jaune orange qu'elle appelle affectueusement Cognac.

Auparavant, elle m'avait déclaré : « Le médecin veut me placer en hébergement. Mais je sais très bien, moi, que je suis capable de demeurer encore dans ma maison. Je dois le revoir cet après-midi et je vais protester... »

Je change le sujet de la conversation en lui demandant pourquoi elle a appelé son chat « Cognac ».

Et de m'expliquer : « Quand j'ai vu le chaton, la vendeuse de l'animalerie m'a dit qu'il était très enjoué, voire même excité... Or, le cognac que je bois régulièrement me procure des réactions semblables. J'ai donc décidé de donner le nom de ce spiritueux à mon nouveau chaton. »

Je reviens sur le sujet de l'hébergement et je lui raconte que le CHSLD où elle pourrait aller m'est familier et que c'est un établissement remarquable ; elle pourrait y trouver des amis, un bon climat social, des conditions de vie fort agréables. Elle accepte mes propos avec beaucoup d'ouverture...

Les mandalas de Mme Brière

Une jeune dame, d'une quarantaine d'années, me reçoit avec un large sourire. Elle porte un pansement du côté droit de la tête. Elle m'avoue d'entrée de jeu qu'elle a subi une intervention au cerveau; on lui a enlevé un méningiome de la grosseur d'un œuf. Mme Brière vit une spiritualité intense.

Elle me parle alors des *mandalas*, un terme tirant ses origines du brahmanisme et du bouddhisme et signifiant « cercle ». C'est une représentation géométrique et symbolique du monde et les diverses figures servent de support à la méditation. Les mandalas ou cercles sacrés seraient à la racine de toutes les cultures et présents en chaque être humain.

« Vous savez, me dit-elle, la terre, la goutte d'eau, les cristaux, les cellules des organismes vivants, même l'atome, sont des mandalas. Je possède un jeu de trente-huit cartes de mandalas et chacune est accompagnée d'une pensée. Je choisis au hasard une carte pour la journée, je me concentre sur le contenu du cercle, je m'alimente de la pensée et j'accède ainsi à plus d'intériorité. »

« Je comprends. Cela vous permet de méditer. » Je lui demande ensuite en quoi consiste la spiritualité pour elle.

Elle poursuit : « La spiritualité, c'est un ensemble de valeurs humaines et l'amour est la valeur la plus fondamentale. De l'amour sans jugement. C'est ce qui manque le plus dans le monde. Au lieu d'aimer les autres, on les juge. C'est tellement facile de porter des jugements. »

J'acquiesce. C'est là, il me semble, le message essentiel de l'Évangile.

Le lendemain, je rencontre de nouveau Mme Brière.

« J'ai une mauvaise nouvelle à vous apprendre. Après l'intervention, on a détecté des filaments cancéreux autour du site. Je devrai aller en radiothérapie et en chimiothérapie. J'ai pleuré une bonne partie de la nuit. »

Je l'écoute attentivement. Elle continue en me disant qu'elle a beaucoup trop donné aux autres dans sa vie, sans jamais penser à elle. «Il faut que je me recentre sur moi.» C'est le nouveau projet de vie de Mme Brière...

Tourner la page

M. Duclos est assis au bord de son lit; il pourra quitter cet après-midi. Il me raconte qu'il a été transporté à l'hôpital alors qu'il était entre la vie et la mort, après avoir été sauvagement battu à la tête par des voyous, sans doute parce qu'il est homosexuel. Il a subi une intervention chirurgicale qui lui a sauvé la vie. Son crâne est marqué d'une quarantaine de points de suture.

«Je remercie le bon Dieu à genoux. Je me promenais dans un parc et trois ou quatre jeunes m'ont agressé. J'étais rendu loin lorsque le neurochirurgien m'a opéré.»

Il me confie que la police n'a pas arrêté les délinquants.

«Vous savez, je veux maintenant oublier l'événement. Peu importe ce qui est arrivé. Ils vivront avec ce crime sur la conscience. Mon existence va se poursuivre dans la tranquillité et la paix. Écouter les oiseaux, regarder les couchers de soleil, être agréable avec les autres... voilà ce à quoi je veux m'employer.»

M. Duclos a sans doute raison. «Il faut apprendre à tourner la page», me dit-il au moment où je prends congé de lui.

La force du mental chez Mme Sirois

Fumeuse invétérée, Mme Sirois est atteinte de trois cancers: poumons, cerveau et reins. Les chances d'une guérison sont fort minces. Elle s'astreint à des traitements de chimio et de radiothérapie. Très consciente des méfaits du tabagisme, elle croit cependant que la loi sur le tabac a fait progresser la maladie cancéreuse. Les fumeurs sont devenus plus coupables et stressés; au travail, ils doivent fumer à l'écart, plus rapidement, ce qui augmente les concentrations de nicotine.

Mme Sirois profite de son traitement pour se prendre en main et changer son attitude face à la vie. Elle a mis fin à des relations familiales frustrantes qui duraient depuis des années et pense davantage à elle-même, cessant de vouloir plaire à tout le monde.

Elle me dit: «J'ai fini d'accorder de l'importance aux insignifiances et aux insignifiants!»

Elle s'accepte elle-même et apprend à lâcher prise. La visualisation lui est d'un grand secours. Mme Sirois guérira, contre toute attente. Elle est beaucoup mieux dans sa peau et elle est convaincue que la force de son mental a joué un grand rôle dans sa guérison.

Pacha

Mme Bouchard me reçoit d'une façon plutôt indifférente. Lors d'un accident vasculaire cérébral, elle est tombée face contre terre dans son salon. Elle l'a échappé belle: après une légère paralysie, Mme Bouchard fonctionne maintenant normalement, sans aucune séquelle grave.

Elle se plaint des services du centre hospitalier: manque d'attention, délais dans les services, nonchalance… Ses doléances durent bien une vingtaine de minutes.

Puis, elle s'écrie: «Qu'est-ce que vous êtes venu faire à mon chevet? Vous ne me donnez pas de médicaments, ni d'injections…»

«Je suis venu vous écouter, Mme Bouchard», je lui dis tout doucement.

«Ah! c'est si important d'être écoutée quand on est malade…»

Et Mme Bouchard continue à se confier. Elle me révèle qu'elle nourrit une passion folle à l'endroit des chats. Elle me raconte en pleurant l'histoire de sa fille qui a fait euthanasier son jeune chat devenu aveugle et qui ne se retrouvait plus dans la maison. Je suis moi-même très ému. Elle poursuit en affirmant que son hymalayen *seal point*, Pacha, d'une beauté admirable, n'aime absolument pas la voir pleurer. Lorsque cela se produit, le chat court et grimpe sur elle, la regarde comme pour la consoler...

Une préposée aux patients arrive et je dis à Mme Bouchard que je reviendrai la voir sous peu.

Un deuil pas comme les autres

Mme Maltais aurait bien aimé avoir des enfants. Elle a dû se contenter de chouchouter ses neveux et nièces. « Les enfants, vous savez, c'est l'affection et l'amour qu'on peut porter aux autres. »

En revanche, pour se consoler, elle a toujours eu des chats. Des chats dont elle a pris un soin jaloux et, le lendemain de la disparition de l'un d'entre eux, elle le remplaçait rapidement par un autre.

Il y a trois ans, elle est entrée dans un centre d'hébergement alors qu'elle possédait un magnifique Persan chinchilla, une bête adorable. Il est demeuré quinze jours dans sa chambre... Un matin, une amie est venue chercher le chat que Mme Maltais n'avait pas le droit de garder.

« Monsieur, j'ai pleuré durant deux mois... j'étais inconsolable ! »

Je poursuis ma promenade avec Mme Maltais en parlant d'autre chose, mais mon esprit n'est pas là : je songe au deuil cruel que Mme Maltais a dû faire de son chat.

Le grand livre de la vie

Mme Provost est étendue sur le dos dans son lit et elle me regarde, le visage un peu crispé. Je me présente et lui dis que je viens lui souhaiter une bonne journée.

« Ce dont j'ai besoin, c'est du courage. J'ai quatre-vingt-un ans et tout allait bien dans ma vie, j'étais à la maison et je vaquais à mes occupations. Avant-hier, j'ai perdu connaissance… pour apprendre ensuite, à l'hôpital, que j'avais fait un accident vasculaire cérébral. Mon bras est inerte, ma jambe ne bouge plus. Mon bras semble peser cent kilos. »

Je l'écoute attentivement et lorsqu'elle me confie que, ce matin, à la physiothérapie, son pied a légèrement bougé ; j'en profite pour l'encourager de mon mieux. Je lui fais comprendre que les exercices de physio font parfois des miracles. Elle sourit et elle me dit qu'elle espère récupérer l'usage de ses membres. Mais elle ajoute tristement : « Ce qui m'arrive, c'était écrit dans le grand livre de la vie ! »

L'espoir malgré tout

Pour contrer les effets d'un cancer au cerveau, M. Montreuil a subi une intervention majeure. Le diagnostic est très sombre… et ses semaines sont comptées !

Il s'empresse de me dire : « Vous savez, j'accepte ce qui m'arrive. L'acceptation, c'est tout dans la vie ! » Il reçoit bien le verdict, mais cela ne l'empêche pas de lutter âprement.

Le visage de M. Montreuil crie son goût de vivre ; on le sent ancré dans sa détermination de vivre contre vents et marées. Il me confie qu'il veut vivre encore dix ans pour pouvoir s'occuper de ses enfants. Je l'encourage.

La force mentale engendre parfois des ressources insoupçonnées.

NOTES

1. Colette PORTELANCE, *Relation d'aide et amour de soi*, 2e éd., Montréal, Les éditions du Cram, 1991, p. 71.
2. Pour conserver leur anonymat, le nom des personnes est fictif.

Nous cherchons tous le bonheur, mais sans savoir où, comme des ivrognes qui cherchent leur maison, sachant confusément que cela existe.
VOLTAIRE

Il n'est pas facile de trouver le bonheur en nous-même et il est impossible de le trouver ailleurs.
Agnes REPPLIER

L'on ne devrait être heureux que lorsqu'on se sent, se sait utile.
Claude R. BLOUIN

Une des choses que je n'ai jamais arrêté d'apprendre est que le secret du bonheur se trouve dans l'entraide humaine.
Dick GREGORY

CHAPITRE 8

Être heureux

Ne sommes-nous pas tous à la recherche du bonheur? Les voies pour y arriver sont multiples. Dans notre monde de la consommation, les biens matériels, les possessions et l'argent en attirent plus d'un vers de fallacieux moments de félicité. Pourtant, comme l'écrit si bien l'homme de lettres américain Henry Van Dyke, *le bonheur vient du dedans, et non du dehors; il ne dépend donc pas de ce que nous avons mais de ce que nous sommes.*

Or, selon plusieurs études, les bénévoles vivent plus longtemps et possèdent une qualité de vie qui en étonne plus d'un. Se dévouer pour les autres, moins penser à soi-même, nous fait oublier nos malaises et souvent nos petits malheurs, un secret de la longévité. *Si vous voulez vivre longtemps et en santé*, disait Hans Selye, psychiatre réputé pour ses recherches sur le stress, *faites des choses qui vous emballent et qui vous passionnent. Ne prenez jamais votre retraite (du moins pas de la vie). Engagez-vous dans des projets qui contribuent au bonheur des autres.*

LE BONHEUR LIÉ À L'ALTRUISME

Le don de soi est une source de joie et de plaisir indiscutable. Demandez à ceux qui se dévouent à des causes sociocommunautaires pourquoi ils s'engagent avec autant de ténacité et de persévérance. Servir les autres rend heureux, vous donneront-ils comme une des raisons principales de leur action bénévole.

> Aux États-Unis, soutient Sara Yogev, des études sur le bonheur permettent de constater que les gens heureux sont plus enclins à s'engager dans des associations communautaires, plus aimés des autres, risquent moins la séparation et ont une chance de vivre plus longtemps. Ils ont également tendance à être moins égocentriques et moins sujets aux maladies et à une mort prématurée. [...] Le volontariat provoque à la fois un bien-être personnel et subjectif. Le bien-être est au maximum quand les besoins de compétence, autonomie et appartenance sont assouvis[3].

Un peu dans le même sens, le psychologue québécois, Michel Giroux, souligne ce lien si fondamental entre le bonheur et l'altruisme. *Les gens heureux*, écrit-il, *manifestent des attitudes altruistes et philanthropiques. Ils sont préoccupés par le bien-être des autres, attentifs à leurs besoins; ils offrent généreusement leur aide, s'engagent pour le mieux-être d'une personne démunie ou d'un groupe de personnes souffrantes. Les altruistes sont serviables, facilement émus, empathiques, disponibles, attentifs au bonheur d'autrui. Ils apprécient se sentir utiles aux autres*[4]. Et l'accueil de l'autre accroît considérablement le bonheur de celui qui donne.

Sara Yogev déclare : *Les retraités participant à une activité bénévole trouvent une composante altruiste à leur relation avec le monde. Les comportements individualistes, manifestant un manque d'intérêt pour une noble cause, débouchent sur des vies étriquées. Plus les gens sont centrés sur eux-mêmes, plus leur rapport aux autres est faible et plus le risque de dépression augmente*[5].

Pour renchérir, l'ouvrage remarquable du Sélection du Reader's Digest *Renforcez votre système immunitaire* souligne avec force l'importance de s'occuper des autres pour réduire la détresse et l'isolement. On peut y lire notamment : *Selon des chercheurs qui ont analysé les résultats de trente-sept études, les bénévoles âgés qui se sont offerts à aider les autres se sont sentis plus heureux, en ont éprouvé un plus grand bien-être et ont eu moins tendance à se sentir tristes et angoissés.* À penser aux autres, on n'a pas le temps de se replier sur soi-même, ce qui peut hausser notre joie de vivre !

L'ANXIÉTÉ, L'ENNEMI JURÉ DU BONHEUR

L'angoisse, le stress excessif et l'anxiété sont les ennemis jurés du bonheur : quelqu'un qui n'est pas bien dans sa peau peut difficilement être heureux. Avec humour, le Dr Christophe André indique que *les souris de l'anxiété rongent le gâteau du bonheur*[1]. Si l'anxiété profonde est aux antipodes du bonheur, le fait de s'engager dans le bénévolat, de penser plus aux autres, contribue à relativiser quelque peu nos propres malheurs et, *ipso facto*, à diminuer les inquiétudes et l'angoisse. C'est précisément cette ouverture sur autrui qui peut conduire à un sentiment de bien-être et à une plus grande joie de vivre.

Les quatre verbes du bonheur

Toujours dans son ouvrage *Vivre heureux, Psychologie du bonheur*, le Dr André nous confie que, lorsqu'il s'entretient avec ses patients, il aime beaucoup travailler et réfléchir au concept du bonheur à l'aide de quatre verbes.

Être : ce sont tous les bonheurs où il suffit d'ouvrir les yeux, de se réjouir d'être là, de se sentir simplement exister. C'est un bonheur presque animal.

Avoir : c'est le bonheur de posséder, un livre, un objet que l'on aime, mais aussi de vivre dans un endroit que l'on apprécie, le bonheur d'avoir de la chaleur en hiver, de la lumière la nuit.

Faire : c'est le bonheur de marcher, de travailler, de parler avec des amis, d'imaginer, de créer, de fabriquer, de réparer.

Appartenir : c'est le bonheur de vivre au sein d'une famille, de travailler au sein d'un groupe qui nous estime, d'être aimé d'une communauté d'amis[2].

Il est évident que l'action bénévole rejoint les significations de chacun de ces verbes. Le bénévole est heureux dans l'exercice de ses fonctions, apprécie son milieu de travail, noue des relations satisfaisantes et appartient souvent à un groupe où il trouve la joie de vivre.

Bonheur, santé et bénévolat

Le bonheur et la santé vont main dans la main. Le bonheur diminue le taux de cortisol, l'hormone du stress responsable de problèmes de santé graves comme l'obésité abdominale, le diabète, l'hypertension, les maladies auto-immunes, etc. Il existe un lien indéniable entre la santé physique et mentale et la joie, la satisfaction et le bonheur. Or, le bénévolat est précisément un facteur primordial de contentement et de réalisation de soi qui conduit au bonheur et à une meilleure santé. Dans une recherche de Bénévoles Canada, Financière Manuvie et Santé Canada, Neena Chappell, M.D., a étudié les rapports entre le bénévolat et la santé. Elle a découvert que les bénévoles, surtout ceux qui font de la relation d'aide, sont plus heureux et en meilleure santé en vieillissant.

Qui plus est, d'après une recherche de l'Université du Michigan, les sujets âgés qui se sont adonnés au bénévolat pendant sept ans ont abaissé de 67 % leur taux de mortalité. Le bénévolat suscite des relations interpersonnelles qui ne peuvent que rendre plus heureux dans l'accomplissement de soi. Sans compter que, comme l'explique si bien Elisabeth Kübler-Ross, *les gens heureux sont les moins égocentriques. Ils consacrent spontanément du temps au service d'autrui. Ils sont souvent plus aimables et pardonnent plus facilement que les gens malheureux, souvent égoïstes, tandis que le bonheur accroît notre capacité à donner.* Sans crainte de nous tromper, nous pourrions établir l'équation suivante :

$$\text{BONHEUR} + \text{SANTÉ} + \text{BÉNÉVOLAT} = \text{LONGÉVITÉ}$$

Comme on le dit familièrement, avoir des choses à faire, c'est essentiel dans la vie, surtout lorsqu'on vieillit et qu'on arrive à l'âge de la retraite. En effet, les gens qui ont des projets ou des buts ne s'ennuient pas et les jours s'écoulent alors dans le plaisir et la joie. Ils sont innombrables les retraités qui ne voient pas le temps passer... justement parce qu'ils s'engagent dans diverses tâches. Les gérontologues Sandra Cusack, Ph. D., et Wendy Thompson, M.A., affirment :

> Nous savons maintenant que se fixer des buts est associé avec la santé : se fixer des buts et les réaliser conduisent à une meilleure santé et suscitent une satisfaction profonde. Peu importe l'âge que vous avez, la réalisation de buts significatifs mène au bien-être psychologique et à une meilleure santé. Lorsque vous avez des buts à remplir, vous n'avez pas à tuer le temps ni de temps à perdre. [...] La plupart des gens sont heureux lorsqu'ils travaillent pour un but qui en vaut la peine. Il n'est pas rare que les buts déterminent la façon dont nous vieillissons[6].

Rien d'étonnant alors à ce que les bénévoles soient en général des gens plus heureux que les autres puisqu'ils ont des projets et des engagements. Très souvent associée aux relations interpersonnelles, la notion d'engagement se trouve au cœur de la philosophie du bonheur et propose la réconciliation de deux entités contradictoires, la joie de vivre et la douleur de vivre. Une psychologue, Lise Dubé, professeure au Département de psychologie de l'Université de

Montréal, a mis au point cette théorie qui reconnaît le caractère subjectif du bonheur. La personne peut dire si elle est vraiment heureuse en prenant en considération ses expériences individuelles. D'autre part, aucune situation de vie créatrice de bonheur n'est parfaite : quelques cumulus voyagent toujours dans le ciel des gens heureux. Ce qui permet d'affirmer, paradoxalement, que le bonheur survient lorsque les émotions positives surpassent les émotions négatives.

Lise Dubé résume sa conception du bonheur eu égard à la capacité d'engagement en disant que le processus peut être défini comme l'interaction dynamique de trois forces :

- une force affective, l'enthousiasme ;

- une force comportementale, la persévérance ;

- une force cognitive, la réconciliation des éléments positifs et négatifs associés à l'objet d'engagement.

Cette structure tridimensionnelle de la capacité d'engagement permettrait d'établir un lien fondamental avec le bonheur. Plus une personne est capable d'engagement, plus elle serait heureuse.

La théorie s'applique parfaitement au bénévolat. Les gens qui pratiquent l'entraide aiment ce qu'ils font et l'accomplissent avec ardeur et tenacité (bien des bénévoles comptent des dizaines d'années de dévouement à une même cause, surtout dans le domaine de la santé et des services sociaux). Ils savent enfin que l'action bénévole comporte des inconvénients : on doit parfois se lever tôt pour accomplir sa tâche ; il faut se déplacer, beau temps, mauvais temps. Comme dans n'importe quel milieu de travail, le climat est parfois désagréable et les tensions existent. Les bénévoles doivent faire la part des choses et réconcilier satisfactions et ennuis. Tous les facteurs sont donc réunis pour faire du bénévolat un engagement humain qui mène au bonheur.

En conclusion, il faut se rappeler que le bien-être n'ira jamais sans la prise de conscience des événements heureux de la vie. *Il faudrait convaincre les hommes du bonheur qu'ils ignorent*, écrit Montesquieu, *lors même qu'ils en jouissent*. Et, si vous attachez de l'importance à votre santé, si vous voulez vivre plus vieux et être heureux, vous dévouer pour les autres serait, à n'en pas douter, fort souhaitable. De l'accompagnement des malades, des aînés et des mourants, vous pouvez tirer une valorisation personnelle indéniable et des gratifications profondes.

NOTES

1. Christophe ANDRÉ, *Vivre heureux, Psychologie du bonheur*, Paris, Odile Jacob, 2003, p. 207 à 209.
2. Christophe ANDRÉ, *ibid.*, p. 249.
3. Sara YOGEV, *La retraite, l'amour en plus*, Barret-sur-Méouge (France), Éditions Le souffle d'or, 2002, p. 57.
4. Michel GIROUX, *Psychologie des gens heureux*, Montréal, Les Éditions Quebecor, 2005, p. 67.
5. Sara YOGEV, *op. cit.*, p. 58.
6. Sandra CUSACK, Ph. D., et Wendy THOMPSON, M.A., *Maintenir un esprit sain*, Saint-Constant, Broquet Inc., 2005, p. 56-57.

> *Qui d'entre nous ne connaît pas ou n'a pas connu de bénévoles ? Un jour, sur notre route, nous avons croisé un homme ou une femme qui donnait de son temps et de sa personne pour les autres. Ce bénévole nous a accueillis, dirigés, aidés de diverses façons. Il faisait partie de cette cohorte de personnes qui ont le souci des autres.*
>
> Mgr Jean-Claude TURCOTTE

CHAPITRE 9

Des témoignages éloquents

Les témoignages suivants, de bénévoles d'expérience qui travaillent auprès des malades, reflètent bien la dimension humaine du bénévolat, de même que les joies profondes et la revalorisation que ce cadeau de la vie apporte à ceux qui se montrent généreux et altruistes.

À mon tour d'aider les autres

Il y a un peu plus d'un an, je lisais, dans le feuillet paroissial, une annonce demandant des bénévoles à la Fondation québécoise du cancer. Et je me suis dit : « Pourquoi pas moi ? » Lors de ma maladie, j'ai reçu de l'aide de différents organismes, dont la Fondation québécoise du cancer. Je pourrais peut-être aider à mon tour.

Quelques jours plus tard, je rencontrais Mme Susan Bouchard, responsable des bénévoles, qui accepta mon offre de rendre service. Trois soirées de formation nous ont été données par un psychologue afin de pouvoir venir en aide, par l'écoute, aux personnes qui apprennent qu'elles ont le cancer et qui ont besoin d'encouragement. On nous jumelle toujours avec une personne qui a le même type de cancer que nous avons eu. C'est plus facile ainsi d'aider, car on parle par expérience.

C'est très encourageant de constater que l'on fait du bien à d'autres femmes qui traversent à leur tour ce que l'on a vécu.

Je me dois d'être positive si je veux en aider d'autres.

Ça me valorise quand les femmes me disent que je leur remonte le moral et que ce que je leur dis les aide à passer à travers et à voir le soleil au bout de cette épreuve.

Le suivi se poursuit tant que les personnes qui en ont fait la demande en sentent le besoin. Il arrive même qu'une très bonne amitié se lie entre nous. Alors, on garde le contact, même lorsque la santé est revenue.

Je trouve cette expérience de jumelage très enrichissante et j'espère être en mesure de continuer encore longtemps à en aider d'autres.

Micheline MUNROE-LABRECQUE, Québec

Le bénévolat… Un cadeau de la vie

Depuis l'automne dernier, je fais partie de l'équipe des bénévoles de Télé-Cancer, plus particulièrement auprès des femmes atteintes du cancer du sein.

Je me suis jointe à cette équipe dans le but d'accompagner ces femmes à travers les différentes étapes de leur guérison.

Ayant moi-même vécu cette maladie, je sais ce qu'elles ressentent et ce qu'elles vivent au quotidien. Les questions qu'elles se posent, je me les suis posées. Les angoisses qu'elles ressentent, je les ai ressenties.

Aujourd'hui, lors de nos échanges téléphoniques, je les écoute et je tente de les rassurer en répondant à leurs interrogations au meilleur de ma connaissance et en partageant avec elles ma propre expérience.

Chaque appel me permet de réaliser à quel point ces femmes possèdent des ressources insoupçonnées à l'intérieur d'elles-mêmes, les amenant à lutter contre cette maladie, tout comme j'ai découvert les miennes, il y a six ans.

Je crois sincèrement que ce partage est sain et bénéfique autant pour elles que pour moi. Mais plus que tout, je sais que l'on peut vaincre le cancer. Et c'est ce message d'espoir que j'ai besoin de transmettre à ces femmes à travers mon bénévolat.

Merci la vie !

Agnès RATELLE, Montréal

Une tâche valorisante

La retraite approchait et j'avais vraiment le goût de faire des choses que j'aime, qui répondent à mes attentes. Et quand j'ai commencé mon bénévolat à La rose des vents, j'ai découvert ma mission : aider les personnes malades !

Ce que je fais pour eux, c'est de l'accompagnement transport. Souvent, je les accompagne en radiothérapie pendant 25 à 30 jours de suite. Des liens extraordinaires se créent entre nous. Comme je suis souvent avec des personnes en traitement, je connais bien le déroulement ainsi que tous les départements du CHUS. Je peux donc les guider, les rassurer et même, dans certains cas, les conseiller sur la façon d'éviter les effets secondaires.

Pour les mettre à l'aise et dédramatiser la situation, je blague souvent avec eux et nous rions ensemble. Combien de fois, j'ai vu des gens dans les salles d'attente rire et s'amuser comme si la mort ne planait pas autour d'eux. Souvent, ces personnes qui, pourtant, souffrent beaucoup, se plaignent moins et apprécient plus le moment présent que celles en santé. À leur contact, j'ai appris à apprécier la vie, à jouir du moment présent sans m'inquiéter de ce qui pourrait arriver demain.

De plus, leur reconnaissance et leurs remerciements me valorisent et me permettent de m'épanouir pleinement comme jamais auparavant. En deux mots, les personnes que j'accompagne, c'est mon monde et je les aime !

Monique LAROCHE, La rose des vents de l'Estrie

Une relation privilégiée

C'est une action humanitaire qui donne un très grand réconfort moral aux personnes qui s'y engagent, à des degrés divers et selon le tempérament de chacun. Voici comment. Le malade qui rencontre une bénévole éprouve la joie d'avoir un visiteur qui lui prête une oreille attentive et impartiale. De son côté, la bénévole qui donne de son temps a la satisfaction d'avoir accordé à quelqu'un qui en a besoin une attention particulière, et elle retire de ce contact un grand contentement.

Une action bénévole, quelle qu'elle soit, favorise une relation exceptionnelle et confère à la vie une dimension insoupçonnée, car les artifices qu'impose souvent la vie en société tombent et cèdent la place à la voix du cœur. C'est un échange, une relation privilégiée et indescriptible puisqu'elle est vécue différemment par chacun. Le plaisir du bénévolat croît avec le temps. Plus nous distribuons du bien autour de nous, plus nous en retirons du bonheur.

Quant à moi, le bénévolat que j'exerce depuis douze ans auprès des malades de l'Hôpital Notre-Dame est devenu une passion, une source de joie. Je puise une énergie sans cesse renouvelée dans les confidences qu'on me fait et j'y trouve un élément de croissance personnelle immense.

Nicole LAURIN, Hôpital Notre-Dame

Ils m'apportent énormément

Je suis bénévole auprès des hémodialysés depuis un an maintenant. Chaque fois que je quitte les patients, je me pose la question suivante : « Qui suis-je pour me plaindre ? » Je sors de cette salle à la fois heureuse, car ils m'apportent énormément, et à la fois triste pour ce qu'ils endurent.

Je suis parfois étonnée par leur sourire et par leurs éclats de rire. Ils ont toutes les bonnes raisons de se plaindre, de se lamenter, de se révolter ; ils auraient même le droit d'être agressifs et d'en vouloir à la terre entière. Au contraire, ils me reçoivent avec un beau sourire. Lorsque je leur pose la question : « Comment allez-vous aujourd'hui ? », ils me répondent souvent : « Ça va, il y en a des pires que moi ! »

Il arrive que certains se confient. Ils doivent se présenter à l'hôpital, bon gré, mal gré, beau temps, mauvais temps, trois fois par semaine, 52 semaines par année, et cela depuis plusieurs années. Ils sont alors branchés à un un rein artificiel pour un minimum de quatre heures. Ils sont condamnés à une diète très sévère et ils doivent calculer la quantité de liquide qu'ils consomment chaque jour.

Ils ont un certain pouvoir de vivre ou de mourir. L'épuisement les amène parfois à vouloir abandonner les traitements. Quelques jours sans cet appareil et ils nous quittent pour un autre monde ; ils en sont très conscients.

Je m'en voudrais de ne pas souligner le travail colossal et remarquable du personnel infirmier et des préposés aux patients, qui vont et qui viennent, soucieux de leur bien-être. Ils représentent pour les malades une certaine sécurité puisqu'ils interviennent immédiatement si un problème survient. Et que dire des proches qui les accompagnent à l'hôpital et qui sont là sans relâche pour soutenir leur épouse, leur père...

En terminant, je veux rendre hommage à ces personnes affligées par la maladie, pour leur dignité, leur courage, leur patience et leur tolérance. Je suis privilégiée de les côtoyer chaque semaine.

Personnellement, je pense que le bénévolat prend tout son sens auprès des malades, des personnes âgées, des enfants et des démunis.

Micheline LACOSTE, Hôpital du Sacré-Cœur de Montréal

Un devoir de justice

Je crois que l'aide à autrui est un devoir de justice pour tous, surtout quand la vie nous favorise. Aussi ai-je toujours fait du bénévolat dans divers organismes. Depuis quelque temps, je me dévoue auprès des personnes âgées et malades. Je rends service avec plaisir et peut-être y a-t-il un quelconque désir qu'on me rende la pareille. Que quelqu'un pousse mon fauteuil roulant et me rassérène quand je serai à bout d'âge !

Rolande DESJARDINS, centre d'hébergement Saint-Laurent

Bibliographie

ANDRÉ, Christophe, *Vivre heureux, Psychologie du bonheur*, Paris, Odile Jacob, 2003.

ASSEMBLÉE NATIONALE, *Projet de loi nº 83 (2005, chapitre 32). Loi modifiant la Loi sur les services de santé et les services sociaux et d'autres dispositions législatives*, 2005 [en ligne]. [http://www.medicine.mcgill.ca/ruis/Docs/Bill83_F.pdf] (24 mai 2007)

ASSOCIATION DES RETRAITÉS DE L'ENSEIGNEMENT DU QUÉBEC, *Actes du premier colloque : À la retraite, toujours dans l'action*, Québec, AREQ, août 2007.

BADEAU, Denise, « De l'intimité corporelle dans l'accompagnement », *Frontières*, vol. 17, nº 1, automne 2004.

BEAULIEU, Marie-Bernadette, *La personne âgée, Rôle de l'aide-soignant en institution et à domicile*, Paris, Masson, 2005.

BÉNÉVOLES CANADA, *Le code canadien du bénévolat*, Ottawa, ministère du Patrimoine canadien, 2006.

BÉNÉVOLES CANADA, « Le bénévolat chez les adultes plus âgés : Bénévolat et santé des aînés », [en ligne]. [http://new.volunteer.ca/fr/volcan/older-adults/canada_adults_report7] (20 juin 2007)

BERTRAND, Dominique, « La mort en face », *La Presse*, 14 août 2006.

BLANCHET, Jean, *Gestion du bénévolat*, Paris, Economica, 1990.

CHARPENTIER, Ph. D., Michèle, *Priver ou privatiser la vieillesse ? Entre le domicile à tout prix et le placement à aucun prix*, Montréal, Presses de l'Université du Québec, 2002.

CHARPENTIER, Michèle et Anne QUÉNIART, *Pas de retraite pour l'engagement citoyen*, Québec, Presses de l'Université du Québec, 2007.

CIARAMICOLI, Arthur P., *Le pouvoir de l'empathie*, Montréal, Les Éditions de l'Homme, 2000.

COMITÉ DE LA LUTTE CONTRE LE CANCER, *Avis : les équipes interdisciplinaires en oncologie*, Québec, Direction de la lutte contre le cancer, 2005.

CUSACK, Sandra, Ph. D., et Wendy THOMPSON, M.A., *Maintenir un esprit sain*, Saint-Constant, Broquet Inc., 2005, p. 56-57.

DICAIRE, Louise. « L'accompagnement », *Le chant du cygne*, Montréal, Éditions du Méridien, 1992.

DUCHARME, F., « Aider les aidants » (en collaboration avec Johanne Tremblay), *Génération, Vivre vieux, vivre mieux*, Fondation Institut de gériatrie de Montréal, hiver-printemps 2007, p. 8-9.

EMONGO, Lomomba, « De l'action à l'interaction bénévole », Le *gérontophile*, vol. 24, nº 1, hiver 2002, p. 17-18.

FERRAND-BECHMANN, Dan, *Bénévolat et solidarité*, Paris, Syros-Alternatives, 1992.

FERRAND-BECHMANN, Dan, *Le métier de bénévole*, Paris, Anthropos, 2000.

FONDATION PALLIAMI, *Manuel des bénévoles, Programme de formation destiné à des bénévoles en soins palliatifs*, Montréal, 2006.

FOURNIER, Édith, *J'ai commencé mon éternité*, Montréal, Éditions de l'Homme, 2007.

GAUVIN, Andrée et Roger RÉGNIER, *L'accompagnement au soir de la vie*, Montréal, Éditions Le Jour, 1992.

GENDRON, Colette, « Pour une mort plus humaine », *Revue Notre-Dame*, mars 2003.

GENDRON, Marie, *L'entr'aide-mémoire*, éditorial du bulletin de Baluchon Alzheimer, vol. 3, n° 1, juillet 2004 [en ligne]. [http://www.baluchonalzheimer.com/fichiers/bulltnv3n1.pdf] (24 mai 2007)

« Gérontologie en institution » [en ligne]. [http://membres.lycos.fr/papidoc/24santementale.html?] (30 août 2006)

GIROUX, Michel, *Psychologie des gens heureux*, Montréal, Les Éditions Quebecor, 2005.

GODBOUT, Jacques T., « Le bénévolat n'est pas un produit », *Nouvelles pratiques sociales*, Québec, PUQ, vol. 15, n° 2, 2002.

GUILMARTIN, Nance, *Les mots qui font du bien, Que dire quand on ne sait pas quoi dire*, Montréal, Les Éditions de l'Homme, 2004.

HÉTU, Jean-Luc, *La relation d'aide. Éléments de base et guide de perfectionnement*, 3e éd., Montréal, Gaëtan Morin Éditeur Ltée, 2000.

KÜBLER-ROSS, Elisabeth, *Accueillir la mort*, Monaco, Éditions du Rocher, 1998.

KÜBLER-ROSS, Elisabeth, *Avant de se dire au revoir*, Paris, Presses du Châtelet, 1999.

LA REVUE CANADIENNE DE LA MALADIE D'ALZHEIMER ET AUTRES DÉMENCES, vol. 8, n° 3, février 2006.

LAMOUREUX, Henri, « Le danger d'un détournement de sens. Portée et limites du bénévolat », *Nouvelles pratiques sociales*, vol. 15, n° 2, 2002, p. 77-86.

LAUZON, M.Ps., Jocelyne, *Formation continue : accompagner la vie… jusqu'à la mort*, Montréal, Institut universitaire de gériatrie de Montréal, 2006.

LEDOUX, André, *Vivez mieux, vivez plus vieux. Guide pour une vie en santé*, Boucherville, Les Éditions de Mortagne, 2006.

LE NOUVEL OBSERVATEUR, « Apprivoiser la mort pour mieux vivre », hors série, avril-mai 2006.

MICHAUD, Josélito, *Passages obligés*, Montréal, Les Éditions Libre Expression, 2006.

MOULIAS, Robert, « Longévité et âgisme », *Gérontologie*, n° 134, 2005, p. 7-11.

MESS, « Historique du bénévolat », Québec, ministère de l'Emploi et de la Solidarité sociale, Secrétariat à l'action communautaire autonome et aux initiatives sociales [en ligne]. [http://www.benevolat.gouv.qc.ca/historique/index.asp] (18 avril 2007)

MSSS, *Politique en soins palliatifs de fin de vie*, Québec, ministère de la Santé et des Services sociaux, 2004.

« Nous, soignants, avons aidé des patients à mourir... », *Le Nouvel Observateur*, nᵒ 2209, 8 mars 2007 [en ligne]. [http://hebdo.nouvelobs.com/p2209/articles/a335110.html] [24 mai 2007)

OCTAVIA, Gaël, *Travailler pour la bonne cause. 100 conseils de pros*, Paris, Groupe Express Éditions, 2005.

OLIVIER, Clément, « L'engagement en soins palliatifs, écueils et passages », *Les cahiers de soins palliatifs, Les proches*, vol. 2, nᵒ 1, 2001.

O'REILLY, Ph. D., Louise, « Au cœur du caring : regard théorique sur la signification d'"être avec" la personne soignée » *La Gérontoise*, vol. 16, nᵒ 1, janvier 2005.

PARSONS, Trent, « Réflexions sur la mort », *Le médecin de famille*, avril 2006, [en ligne]. [http://www.cfpc.ca/cfp/2006/Apr/vol52-apr-college-2_fr.asp] (30 mai 2007)

PORTELANCE, Colette, *Relation d'aide et amour de soi*, 2ᵉ éd., Montréal, Les éditions du Cram, 1991.

RANKIN, Paul T., "The Importance of Listening Ability", *The English Journal*, vol. 17, nᵒ 8, octobre 1928, p. 623-630.

REICHARD, Suzanne, Florine LIVSON et Paul G. PETERSEN, *Aging and Personality: A Study of Eighty-Seven Older Men (Growing old)*, Ayer Co. Pub, 1962, 237 p., cité dans « Gérontologie en institution » [en ligne]. [http://membres.lycos.fr/papidoc/24santementale.html?] (5 septembre 2006).

REISBERG, Barry, S.H. FERRIS, M.J. DE LÉON et T. CROOK, « The Global Deterioration Scale for assessment of primary degenerative dementia », *American Journal of Psychiatry*, vol. 139, nᵒ 9, sept. 1982, p. 1136-1139, cité dans SOCIÉTÉ ALZHEIMER, « L'évolution de la maladie d'Alzheimer » [en ligne]. [http://www.alzheimer.ca/french/disease/progression-gdscale.htm] (24 mai 2007)

RILEY, Pierre, « Les enjeux de l'action bénévole », conférence prononcée le 18 juin 2004, lors de l'assemblée annuelle de la Table régionale des organismes communautaires Chaudière-Appalaches.

RILEY, Pierre, « Le salaire des bénévoles », *Bénévol'Action*, automne 2005, p. 5.

RILEY, Pierre, « Rémunérer les bénévoles... », *Bénévol'Action*, février 2006, p. 2-3.

RINPOCHÉ, Sogyal, *Le livre tibétain de la vie et de la mort*, Paris, Éditions de la Table ronde, 1993.

ROBICHAUD, Suzie, *Le bénévolat entre le cœur et la raison*, Chicoutimi, Les éditions JCL inc., 1998.

ROGERS, Carl, *Le développement de la personne*, Paris, Dunod, 1966.

ROGERS, Carl, *La relation d'aide et la psychothérapie*, Paris, Éditions Sociales Françaises, 1970.

ROUSSEAU, Nicole et Louise BERNARD, « Nouveau visage du bénévolat, nouveaux défis en soins palliatifs », *Les cahiers de soins palliatifs*, vol. 1, n⁰ 1, 1999.

ROY, Marielle et Louise ROBINETTE, *Le caring, démarche d'actualisation en milieu clinique*, Hôpital du Sacré-Cœur de Montréal, Éditions de l'Hôpital Sainte-Justine, 2005.

SAINT-AMOUR, Ph. D., Line et Francine SASSEVILLE, M.D., « Le concept de CHSLD demeure un choix acceptable », *La Gérontoise*, vol. 11, n⁰ 2, juin 2000.

SCIENCE ET VIE, *Ce que la science sait de la mort, Quand? Comment? Pourquoi?* Paris, août 2006.

SÉLECTION DU READER'S DIGEST, *Renforcez votre système immunitaire*, Montréal, Sélection du Reader's Digest, 2006.

SELYE, Hans, *Le stress de la vie*, Paris, Gallimard, 1962.

SOCIÉTÉ ALZHEIMER, « L'évolution de la maladie d'Alzheimer » [en ligne]. [http://www.alzheimer.ca/french/disease/progression-gdscale.htm] (24 mai 2007)

SOCIÉTÉ CANADIENNE DU CANCER et INSTITUT NATIONAL DU CANCER DU Canada, *Statistiques canadiennes sur le cancer 2006* [en ligne]. [http://www.cancer.ca/vgn/images/portal/cit_86755361/31/22/935505932cw_2006stats_fr.pdf.pdf] (24 mai 2007)

STATISTIQUE CANADA, *Enquête sociale générale sur l'emploi du temps: cycle 19. Bien vieillir: l'emploi du temps des Canadiens âgés, 2005*, Ottawa, 2006.

STATISTIQUE CANADA, *Canadiens dévoués, Canadiens engagés: Points saillants de l'Enquête canadienne de 2004 sur le don, le bénévolat et la participation*, juin 2006.

VIH COUNSELING, « Les bases du counseling, Gestion de crise » [en ligne]. [http:Counselingvih.org/fr/definition/gestioncrise.php] (11 février 2007)

VINAY, Patrick, « Le suicide assisté est un abandon du malade à son sort », Forum, vol. 40, n⁰ 27, 10 avril 2006 [en ligne]. [http://www.iforum.umontreal.ca/Forum/2005-2006/20060410/AU_5.html] (24 mai 2007)

VOLANT, Éric, « L'accompagnement des mourants. Aux limites du sens: une éthique du seuil », *Frontières*, vol. 17, n⁰ 1, automne 2004, p. 83-86.

WHITTOM, Éric, « Débat sur l'euthanasie: les médecins sont invités à donner leur avis », *L'actualité médicale*, 2 juin 2006.

YOGEV, Sara, *La retraite, l'amour en plus*, Barret-sur-Méouge (France), Éditions Le souffle d'or, 2002.

ZAMBON, Monique, « Le temps des soins relationnels » [en ligne]. [www.membreslycos.fr/papidoc/34parolemains.html] (27 août 2006)